美しい未来をつくるひとのための15のはなし

編著　祇園景子

神戸大学出版会

はじめに

20年ほど前に、殺虫剤のテレビCMでお寺の境内に座ってうんちくを話す初老の息子に向かって、禿頭（とくとう）の父親が「つまらん！　お前の話はつまらん！」とかすれた声で一蹴するセリフがあり、それがとても流行りました。「お前の話はつまらん」で検索すると、今でもそのCM映像が見つかります。

当時、私は大学で教授の話を聞きながら、「分からん！　お前の話は分からん！」とよく独り言ちていました。たぶん、だいたいの人たちは、私が学生だったときと同じで、大学の教授って何を考えているのかよく分からないし、専門用語ばかりで言っていることもよく分からないし、そもそもどんな生活を送っているのかもよく分からないと思っているのではないでしょうか。そう、教授の存在そのものからして「分からん！」ものです。

しかしながら、今、大学の教授の話が少しばかり分かるようになった私は、皆さんにどうしても教授たちの考えていることを分かってほしいと思うようになりました。とくに、教授たちが考えている「未来」は、分かるとものすごくおもしろいのです。多くの知恵と最先端の知識をもとに、人類の理想を遠くに見ながら、現実的な未来像を頭のなかに描いているのです。

ただ、大学の教授の話をそのまま聞いても「分からん！」ので、分かるように言葉を選んで、皆さんの日常生活からイメージしやすい内容を取り入れてしゃべってもらうことにしました。それがこの本のもとになっています。それでも、まだ「分からん！」ところが多いのですが、大学の授業でしゃべっているときよりは、いくぶんか分かりやすくなったのではないかと思います。

この本では、それほど遠くない、すぐそこにある未来のはなしを紹介します。15名の研究者や実務者が取り組んでいる仕事の延長線上にある未来について話してくれました。最近、現在の延長線上にない未来をイノベーションで実現しようというようなことが注目されることがありますが、延長線上にあるかないかは、過去を見つめて、現実を踏まえて、両者に線を引いてみないと分かりません。私たちが理想とする未来像を描こうとするときの、過去と現在、そして両者の関係性の捉えかたのヒントが15の未来のはなしから見えてくるはずです。

人は未来について語るとき、誰かを楽しませたい、しあわせにしたい、あるいは誰かが困らないようにしたい、という気持ちが前面に出てきます。そのせいか、15のはなしを映像で観ると、一緒に未来をつくってみたいとより感じられます。各はなしのとびらにあるQRコードを読み取って、ぜひ映像もご覧ください。

そして、それぞれのはなしには、その本質を日常生活のエピソードにできるだけつなげられるようにコラムを添えています。未来のヒントはこの本のなかだけでなく、毎日のなにげない場面にたくさん見つけることができます。

さいごに、未来について丁寧に分かりやすく語ってくれた15名の皆さんにこの場をお借りして、お礼申し上げます。内容が専門的すぎるだとか、図が細かすぎるだとか、私の一方的な意見に耳を傾けて、嫌な顔ひとつせずに対応してくださいました（ほとんどメールで連絡を取っていたので、嫌な顔はしていたかもしれないのですが）。15のはなしをまとめるにあたり、神戸大学卒業生の三島春香さんは私の手足となって助けてくれました。編集者の髙木大吾さん、明後日デザイン制作所の近藤聡さん、神戸新聞総合印刷の堀田江美さんは、私が締め切りをすぎても原稿を書かないのに、不安な顔ひとつせずに制作に携わってくれました。イラストを描いてくれた子安奈都子さん、プロフィールをまとめてくださった大村直人先生は、私の仕事の遅さに困った顔をしながらも辛抱強く伴走してくれました。また、15のはなしのもとになった神戸大学「未来世紀都市フェス」は、鶴田宏樹先生と共に企画・運営しました。そして、なによりも、この本を出版できるのは、神戸大学「未来世紀都市フェス」をクラウドファンディングで応援してくださった皆さんのおかげです。ありがとうございました。「おもしろい！」と思ってもらえる本になっていることを願うばかりです。

祇園　景子

目次

第4章　コミュニケーションと社会

第5章　安全と未来

第 1 章

多様性とイノベーション

Diversity and Innovation

01

人が動く、未来が動く

浜口 伸明

はまぐち のぶあき

神戸大学 経済経営研究所

三重県伊勢志摩出身。大学時代はポルトガル語、ブラジル語を学ぶ。大学在学中に1年間ブラジルに語学留学し、型にはまらず予測できないカオス的なブラジルに興味を持つ。ブラジルで貧困や格差の問題をみて刺激を受けたのがきっかけで、もう1つ専門性を身につけたいと経済学を独学で修得する。経済学とは人々の生活を豊かにしながら環境を守るという、社会において調和のとれた状態をつくりだすための学問なのだと彼は語る。経済を持続的に成長させるには、多様な人やモノが流動性をもって、交わることで、イノベーションを起こしていくことが必要であると説く。カオスが好きな彼は、流動性がもたらす一見無秩序で混沌とした未来社会に、イノベーティブな秩序構造を見出そうとしている。

小さい頃に観たドラマで、都市で成功しなかった人が、「しょうがない。俺、田舎に帰って百姓でもするよ」と口にするのが印象に残っています。以前は、そういうふうに都会はチャレンジの場所でハイリスクな場所だったと思うんです。逆に田舎は、安穏なセーフティネットで、そこで畑を耕していれば食うには困らない場所と考えられていたのではないでしょうか。

今では、定年後のセカンドライフをスローライフで過ごそう、田舎に移住しようと希望する人が増えましたが、いま田舎に住むほうがはるかにハイリスクな感じがしますよね。都会に住むほうが便利だし、田舎のほうが不便で自分の生活がどうなってしまうか分からないというようなイメージもあると思います。日本では、人口の70％近くの人が都市に住んでいます。これはもう日本だけの現象じゃなくて、国連統計によると、世界的にどんどん都市化が進んでいて、今後もこの傾向が続くだろうと言われています。

そもそも、都市はなぜ存在するのかということを考えてみましょう。私が研究を進めている空間経済学では、なりわいとしての経済的行為が都市を成立させているという考えかたをします。そして、イノベーションが盛んな現代においては、多様性がより好まれることも都市化が進む理由のようです。

また、輸送費が安くなって、簡単に遠くまで移動できたり、遠くのものが運ばれてきたり、自分たちの近くで生産されているものが遠くに運ばれたりするようになると、規模の経済性が高まって、田舎よりも都市の優位性が高まります。このようにイノベーション、多様性、そして輸送費の減少と規模の経済といった概念をキーワードに、都市の成り立ちを考えていきましょう。

都市ではいろんなものが簡単に手に入るし、都市は多様なものを生産しているという点で、われわれの生活を豊かにしてくれ、その重要な役割は今後もどんどん大きくなるだろうと思います。

一方で、都市はソリューションですが、同時に問題も提示しています。日本では東京一

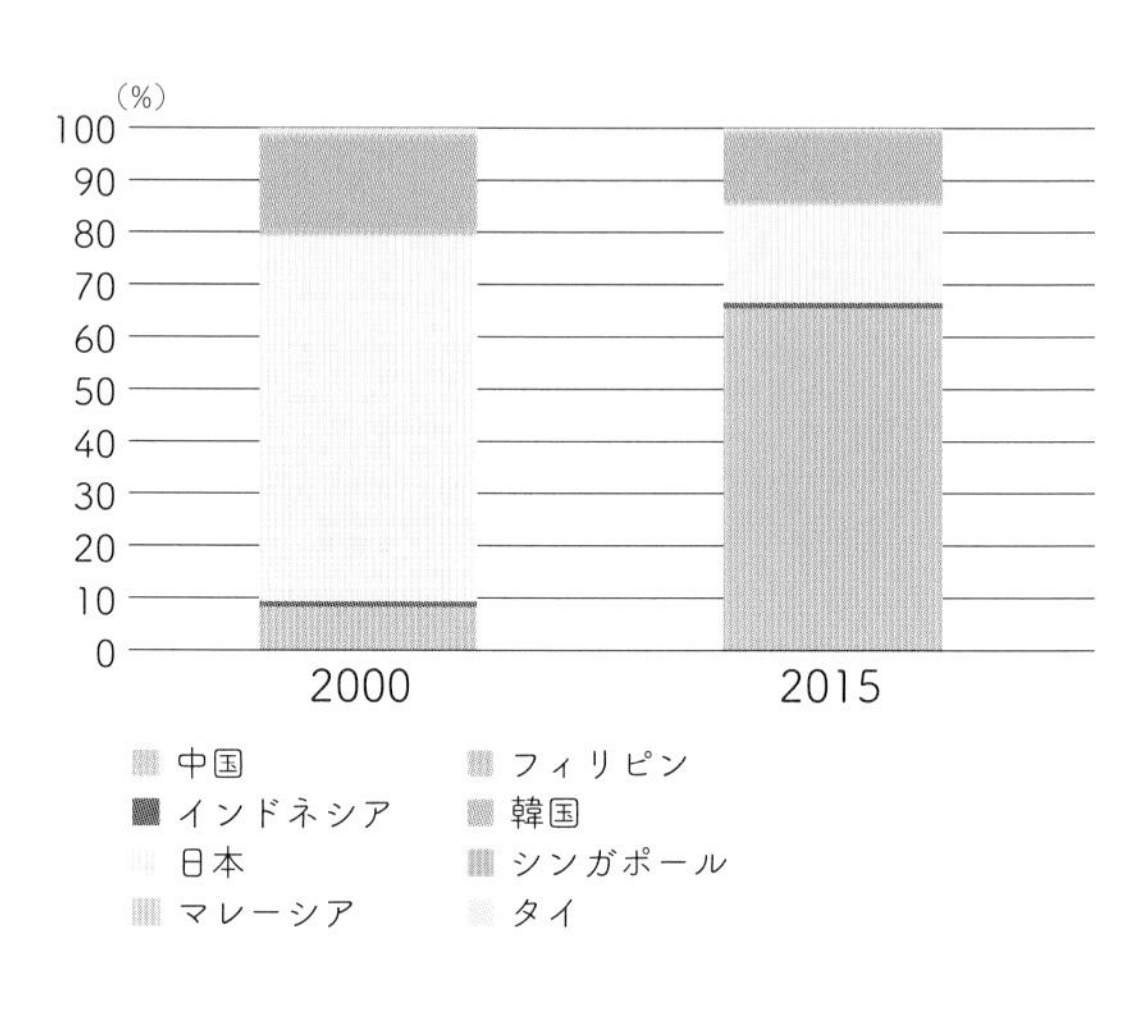

図 1-1　アジア諸国の特許申請実績

極集中が進んでいて、それが問題だと考えられるようになってきていますよね。例えば、都市がどんどん大きくなると、交通混雑がひどくなり、住宅価格は高騰していきます。そこで働いていても、都市の真ん中に住める人は限られているから、遠くから通勤してこないといけません。その通勤の距離がどんどん延びています。

　最近では、待機児童の問題が都市部では非常に深刻です。また、都市部では出生率が低い傾向もありますから、このまま東京一極集中のような都市化が進むと、少子化の問題はさらに加速していくんじゃないかという研究も出てきています。このように、ソリューションであると同時に、いろんな問題が積み重なっている都市の状況を「都市のメタボ化」と呼んでいます。

　メタボ化によって、都市の生活はいろんな意味で効率が下がっています。一方、地方では過疎化が進んでいます。都市と地方のバランスを少し変えられると、どちらもが生活の水準を向上させることができるんじゃないでしょうか。政府もそういう発想で、地方創生を進めようとしているわけです。

　しかし、こういった都市と地方のバランスについては、意外と理解されていません。地方創生については、言葉ばかりが政治的に利用されないように、できるだけオープンで、エビデンスに基づいた科学的な議論が必要です。

　さて、ここでイノベーションというキーワードについて触れておきたいと思います。いま国際競争は、イノベーションを通じて進んでいます。日本が直面している問題は、まさに経済の国際競争です。

〔図1-1〕は、アジア各国の特許申請実績です。黄色い部分は日本です。２０００年の時点では、まだ日本がアジアにおいて支配的なシェアを持っていました。ところが、近年、日本のシェアはとても小さくなっています。それに対して、中国のシェアがどんどん伸びていることが分かります。

アジアにおいても、世界においても、日本のイノベーションのシェアはだんだん地位が低下しているという状況です。「都市はイノベーションの中心なのに、こんな状況で地方創生を進めても大丈夫だろうか」という心配を耳にします。極端な議論では、東京集中をもっと進めるべきという意見もあるようです。けれども、この意見は誤解を含んでいると考えています。

〔図1-2〕はヨーロッパ各国の特許申請数を示しています。国別の申請数ではドイツが多いですが、〔図1-3〕で人口１００万人あたりで見ると、国ごとにそれほどの差はありません。特に、北欧の小さい国に注目してみましょう。国土の大きい国とそれほど変わらない

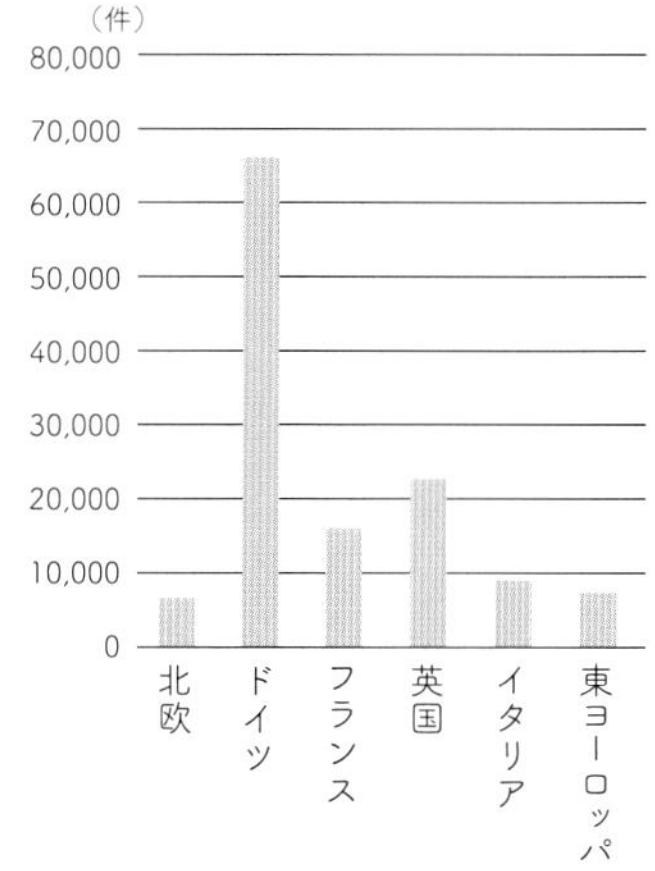

図1-2　ヨーロッパ各国の特許申請数（2015年）

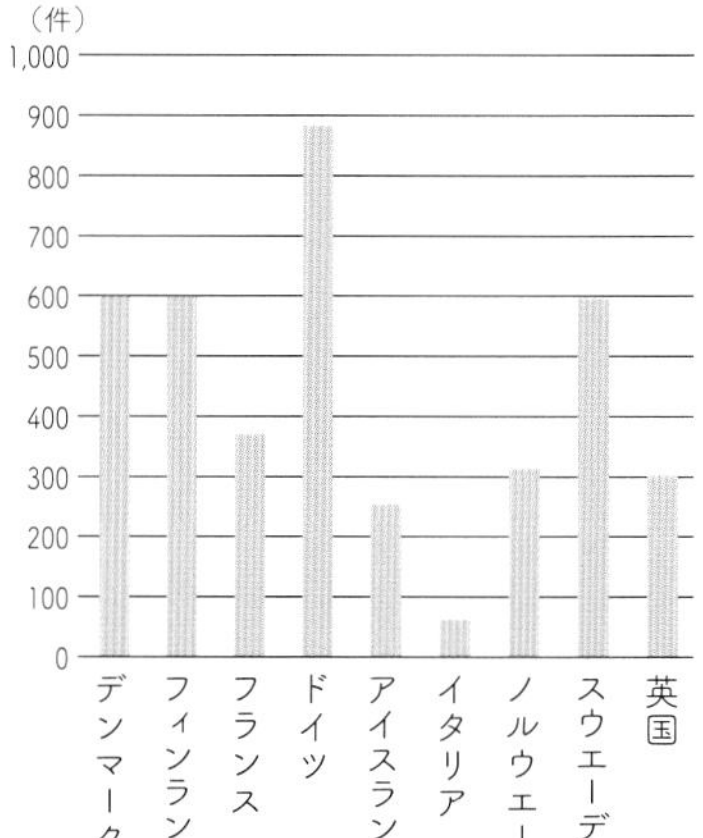

図1-3　ヨーロッパ各国の人口100万人あたりの特許申請数（2015年）

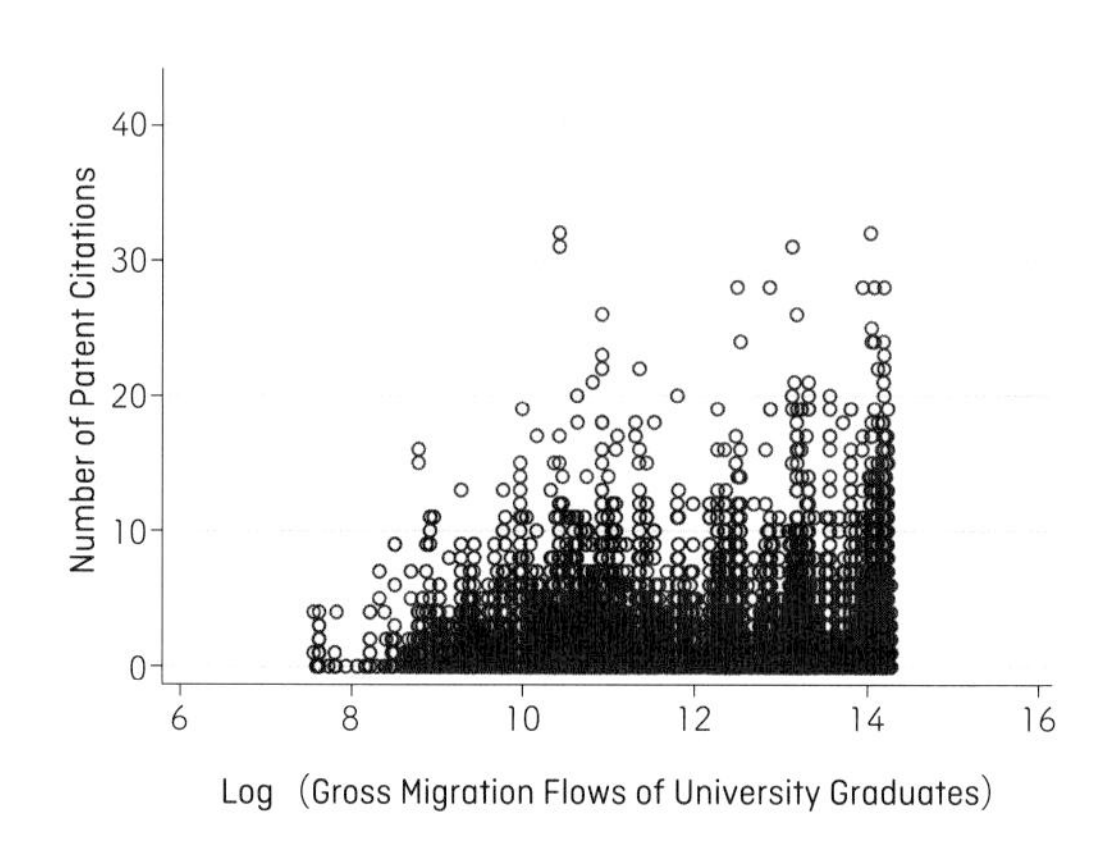

図1-4　大学卒の流動人口と特許引用の関係

イノベーションを進めています。そう考えたら、実はイノベーションって意外にスケールフリーと言えないでしょうか。人口の規模とイノベーションに明確な関係はないというわけです。つまり、人口の分散が進んでもイノベーションの力が落ちるとは言えないと思っています。

ゼミ修了生である近藤恵介さん（経済産業研究所）と一緒に行った研究からイノベーションと人口流動の関係を紹介しましょう［図1-4］。左側のグラフの縦軸はイノベーションの指標で、その質の高さも表しています。横軸は人口の流動性を表しています。大学を卒業している人口が盛んに出入りしている地域は、人材の新陳代謝が盛んだとみなします。このグラフは、日本の市区町村データから、「人口の流動性が高い地域はイノベーションの質が高い」という関係性を示しています。質の高いイノベーションは、フレッシュなブレーンパワーが必要であり、そういうものを引き付ける力が、都市のイノベーション力を決めていくのではないかと考えられます。

地方創生については、都市と地方の間でどのようにリソース（さまざまな資源）を再分配するか議論されてきました。私たちの研究からの政策へのメッセージは、都市でも地方でもイノベーションのリソースを増やし、創造活動の増加は両輪で進められるべきということです。人口が減少していくなかで、創造活動をどうやって促進するか、これからの政策において大きなチャレンジになるのではないでしょうか。人口の流動性を高めていくことが重要です。

そして、教育の充実や、社会から十分に機会を与えられていない女性や高齢の方々にイノベーションのリソースとして社会で活躍していただくこともとても大切です。そのための社会システムの改革についても私たちは考えていく必要がありますね。外国から来た留学生や移住可能な技術者といった国際的なブレーンパワーを引き付けるような国際化も必要です。そして、人工知能の活用についても考えなければなりません。

これらすべてを足し算するのではなく、掛け算で考えていきたいものです。例えば、人工知能を活用して、「高齢者が活躍できるようにするには、どういう職場をつくればいいか」を考えてみる。こんなふうに、掛け算の思考で、未来の社会や都市のあり方を探っていきましょう。

COLUMN

by Keiko Gion

私が通っていた女子高校の文化祭では、最後にほぼ全生徒が広場に集まってきて『マイム・マイム』を一緒に踊って締めくくります。人の輪が何重にもなって、異様な盛り上がりのなか、全く知らない先輩が隣に来ても意に介さず、何度も何度もお互いに手をたたいて飛び跳ねつづけます。フォークダンスで有名なのは、『オクラホマ・ミキサー』でしょうか。踊る相手が変わっていって、いろいろな人とステップを合わせます。飛び跳ねるように踊る人や、すり足でステップを踏む人……。ときには憧れの人の手を握ることができて、こちらの足が固まりそうになることも。けれども、10分ほどすれば慣れてきて、相手のステップに合わせることを意識しなくても一緒に踊れるようになってしまいます。相手がコロコロ変わるから、自分の踊りのスタイルが固定されることはありません。

文化祭で『マイム・マイム』を一緒に踊った高校の友達は、今では年に1、2回会う程度です。今、毎日顔をあわせる人は一緒に仕事をする人たちですが、職場が変わったり、仕事内容が変わったりして、3〜4年ごとくらいに変わっていきます。イノベーションってそういうところから出てくるのかもしれません。

02

混ぜることから見えるもの

大村 直人

おおむら なおと

神戸大学 工学部応用化学科
大学院工学研究科応用化学専攻

兵庫県西宮出身。父親が野球好きで甲子園球場の近くに住んでいた。直人の名前には、直球勝負の人生を送ってほしいという思いが込められている。しかし、本人は野球に全く興味はない。神戸大学工学部で学生生活を送り、ゴルフ部に入部。先輩から工業化学科は実験が多いから、ゴルフを練習できなくなると言われ、化学工学科へ転科。「テイラー渦の研究なら私は世界で5本の指に入る」いう恩師の言葉に自分も世界的な研究がしたいと思い、テイラー渦の研究にのめり込む。今でもテイラー渦を見るだけでテンションが上がる。修士号を取得後に企業に就職して営業の仕事をするも、3年後に神戸大学へ戻って研究者の道へ。「混ぜる」ことなら何でも研究対象にしてしまう真っ直ぐな人である。

今日は、自分の研究分野である応用化学から見た融合を通して「知の融合」とはどういうものか考えていきたいと思います。

ちょうど30年前、私は化学工学という学問を修めて、修士号を取り、日本板硝子というガラス会社に就職しました。ガラスの製造プロセスに関する仕事に行くのかなと思ったら、建築用ガラスの施工技術サービスを任されることになりました。この部署はちょっと変わった部署だったんです。隣の席はガラスの新商品のマーケティングをする人、前の席の人は販売ルートを開拓する人といった具合で、かなり文理融合でカオスな部署でした。仕事のやり方も非常におもしろくて、楽しみながら仕事に取り組んでいました。

この仕事を通じて、建築の雑誌に寄稿することもありました。建築というのはユニークな分野です。建築学科というと日本では工学部や理工学部に属している場合が多いですね。ところが海外では建築学部が設置されています。建築というのは、構造力学をはじめとした理系分野と、デザインや建築史といった文系分野が混ざっている学問なんです。例えば、30年近く前の日本建築学会誌の特集テーマは「こころ」でした。

当時、自治医科大学の教授だった品川嘉也先生が、『「こころ」はどこにあるか』という文章を寄稿されました。そのなかで、脳の自己認識モデルを描いた図が登場します［図2-1］。人間は右脳と左脳が分かれていて、きっちりその機能が分かれている。人間以外は、2つあるけれども、それらの機能の分化はされていなくて、ただ1つの脳だというのですね。

品川先生は、人間が宗教を生み出したり、創造性を発揮したりする仕組みをこの自己認識モデルで説明されています。人間以外の場合、自分の脳のなかに自分があって、そのなかにまた自分があるから、それらは1点に収束するんです。ところが、人間の脳は右脳と左脳に分かれているので、2つずつに分かれていきます。2のn乗で増えていくわけですね。品川先生は、この分かれかたを数学的にはカントール集合的だと述べられています。このカントール集合的なものが宗教性や創造性の源だというような表現をされました。

では、本当にそうなのか、僕は宗教学の専門ではありませんが、宗教で考えてみましょう。昔、弘法大師空海というお坊さんがいました。真言密教を中国から運んできて、日本で真言宗を開いた大変偉い人ですね。

真言宗には、「入我我入」と「即身成仏」という言葉があります。入我我入は、「われに仏様が入り、われが仏様に入る」ということです。そうすると、その身のまま仏様になる（即身成仏）という意味です。これを先ほどの品川先生のカントール集合モデルで考えるとどうなるでしょうか。

まず、自分があります。次に、自分と仏様を入れ替えます。それをずっと替えていくと、最後に自分と仏様が混じったような状態になります〔図2-2〕。これを自分のなかに仏性が

人間以外

人間

図2-1　脳の自己認識モデル

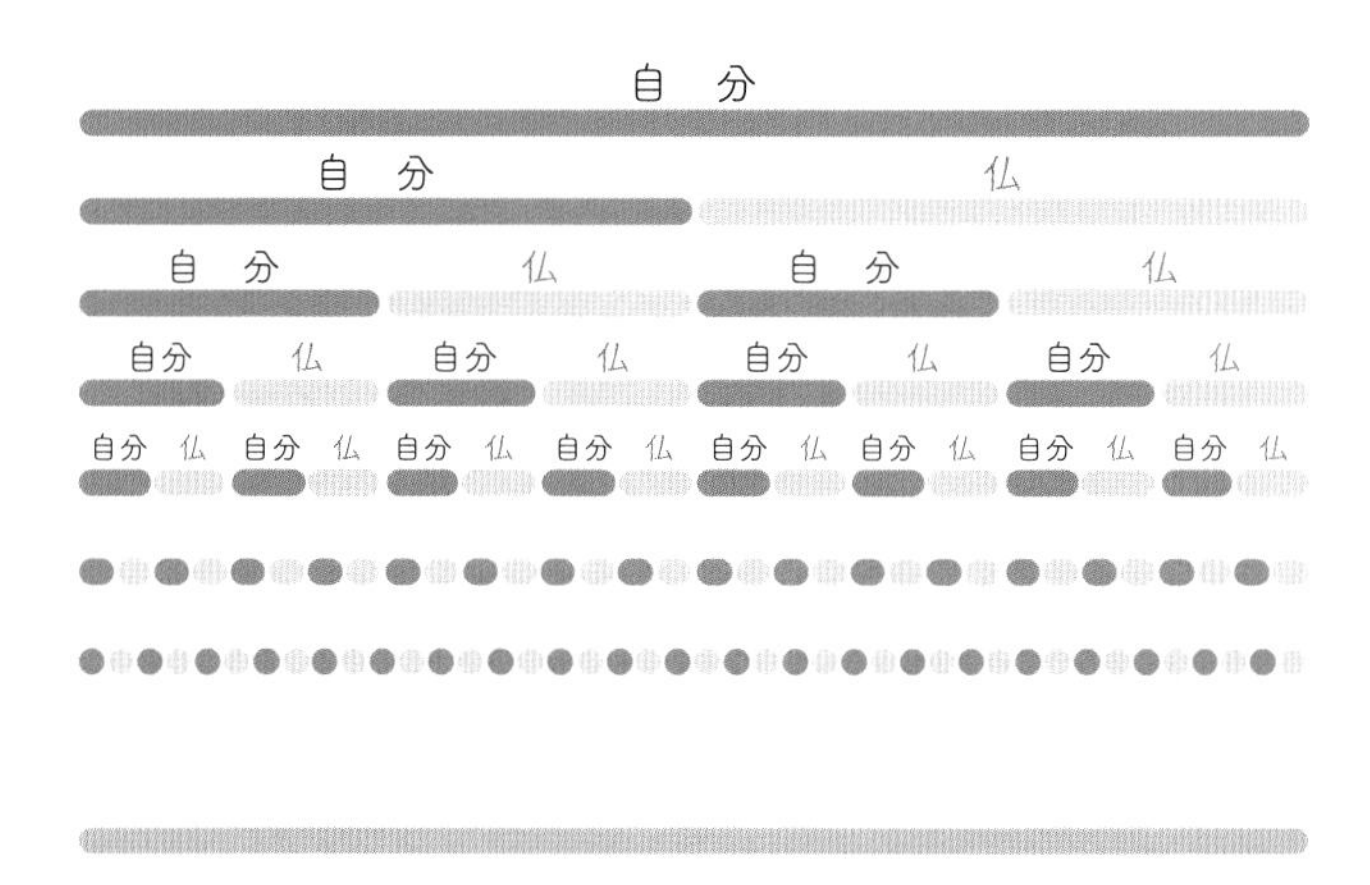

図2-2　入我我入と即身成仏のカントール集合モデル

表れたと表現します。即身成仏が説明できたのではないでしょうか。

ここで数学者のスティーブ・スメールが提唱した馬蹄(ばてい)型写像を紹介しましょう［図2-3］。引き伸ばして折りたたんでを繰り返すと、カントール集合的な構造が出てくるんです。私の専門である攪拌(かくはん)（ミキシング）はこのメカニズムを使っています。

引き伸ばして折りたたんで、引き伸ばして折りたたむ……。縞模様はだんだん小さくなります。8回繰り返すと、厚み1センチのものが、40ミクロンぐらいまで小さくなるんです［図2-4］。物質の世界では拡散という現象が起こり、最終的に2つのものがちゃんと混ざることになります。

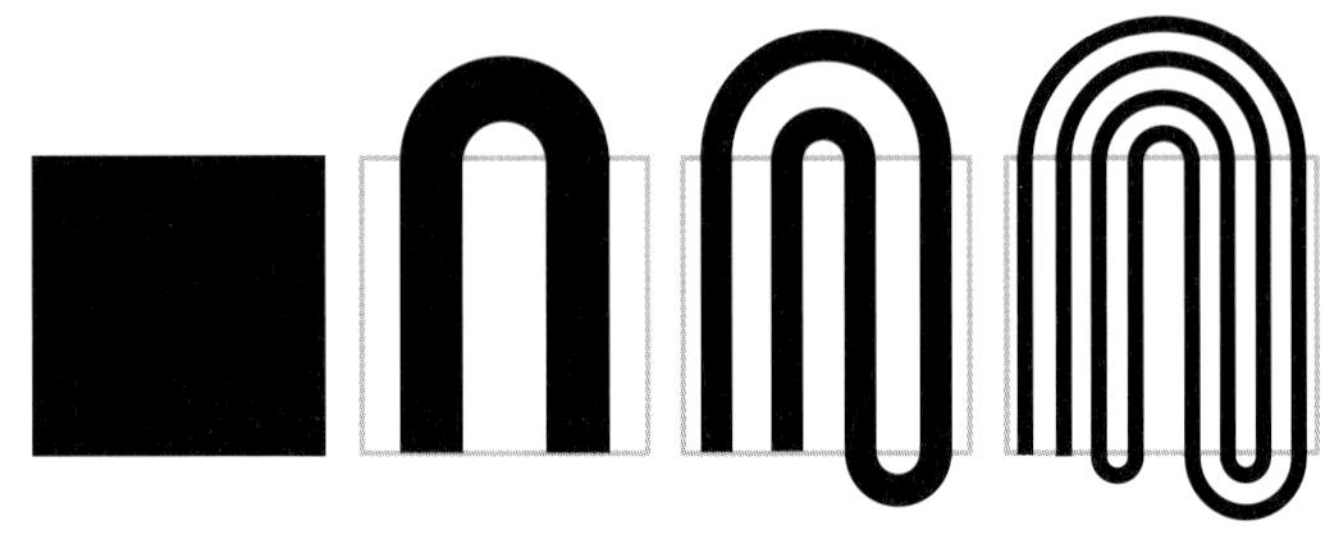

図2-3　スティーブ・スメールの馬蹄型写像

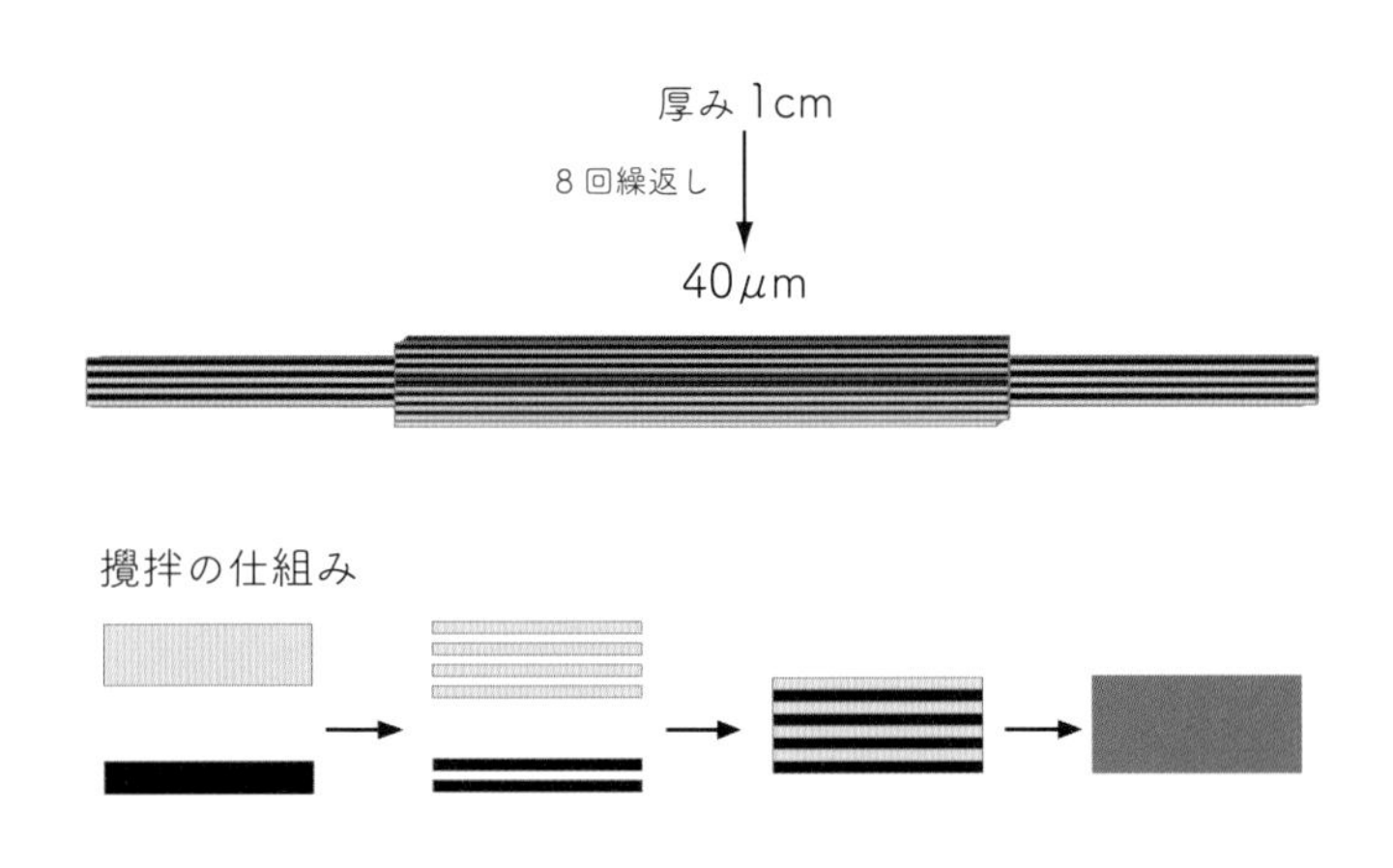

図2-4　攪拌の仕組み

次は、自然界に目を向けてみましょう。ビーカーに入った液体をクルクルと穏やかに回すとします。引き伸ばして折りたたんでという構造を繰り返しながら、最後には混ざります。自然界の現象にも撹拌の仕組みが織り込まれているんですね［図2-5］。単に混ざっただけかというと、そこに新しい構造が生まれてくる。例えば、撹拌によって自己相似的な、フラクタルな構造が生まれてくることがあります。ある円筒状の撹拌槽で撹拌翼を中心に据えて撹拌すると、外側にちゃんと混ざっている領域ができ、真ん中にドーナツ状の丸い部分が現れます。よく観察してみると、そのドーナツのなかにまたドーナツがある。そのドーナツの端を拡大して観察すると、その周りにまたドーナツがある。このように混ざっているだけでなくて、新しい構造をつくることをカオス混合と呼びます。

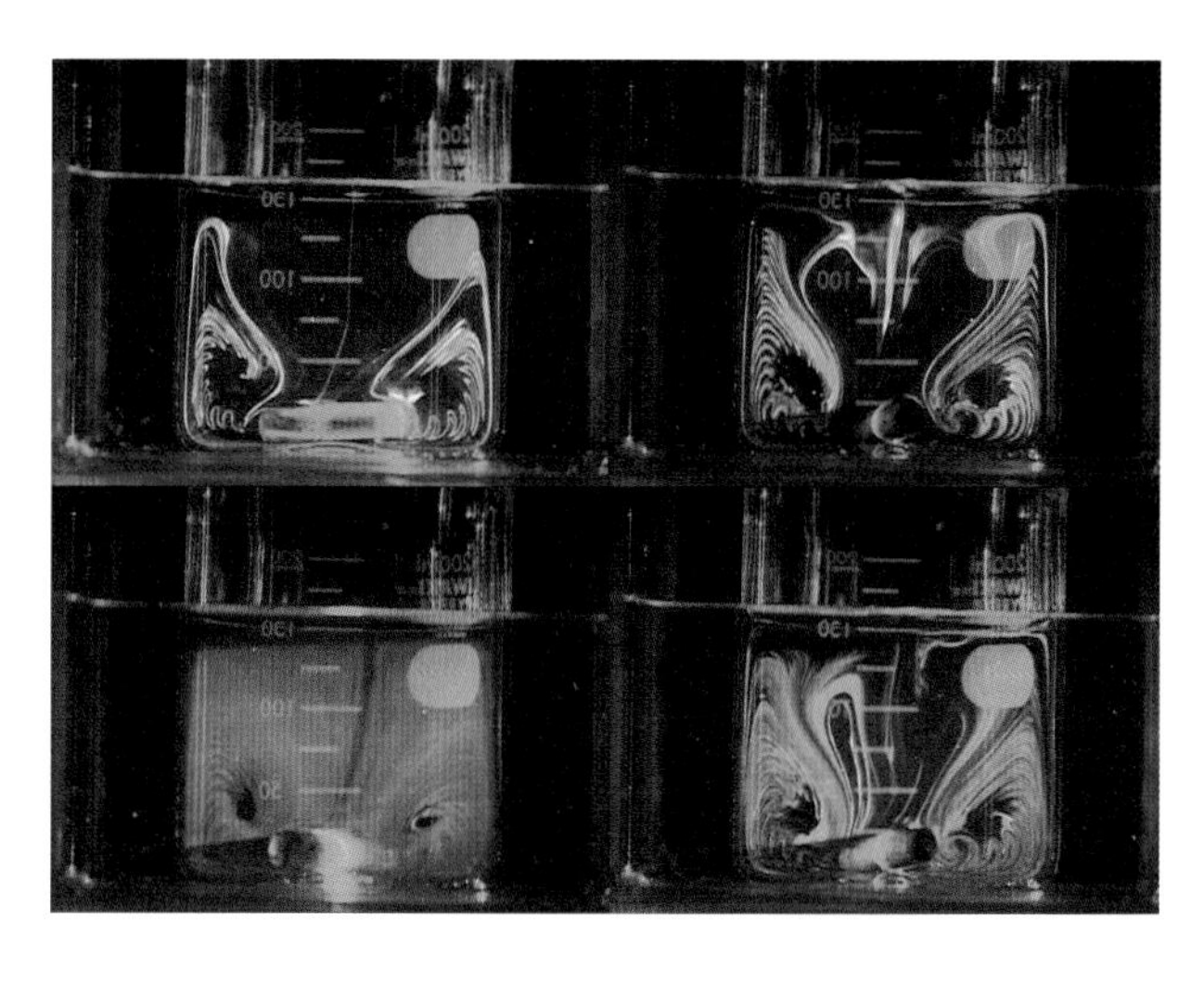

図2-5　ビーカーでの撹拌

カオスを日本語に訳すと混沌（こんとん）になります。でも、混沌といっても完全なランダム系ではなくて、ちゃんと構造を持った形になっています。これがカオスの際立った特徴です。混合は、新しいものを生み出す物理的なメカニズムを持っているんです。

さて、ここからイノベーションの話に入っていきます。［図2-6］は、『Harvard Business Review』に掲載された有名な図です。この横軸は専門の多様性で、縦軸はイノベーションの価値です。すなわち専門の多様性が低ければ低いほど、専門家が集まれば集まるほど、イノベーションの価値の平均値は高くなります。

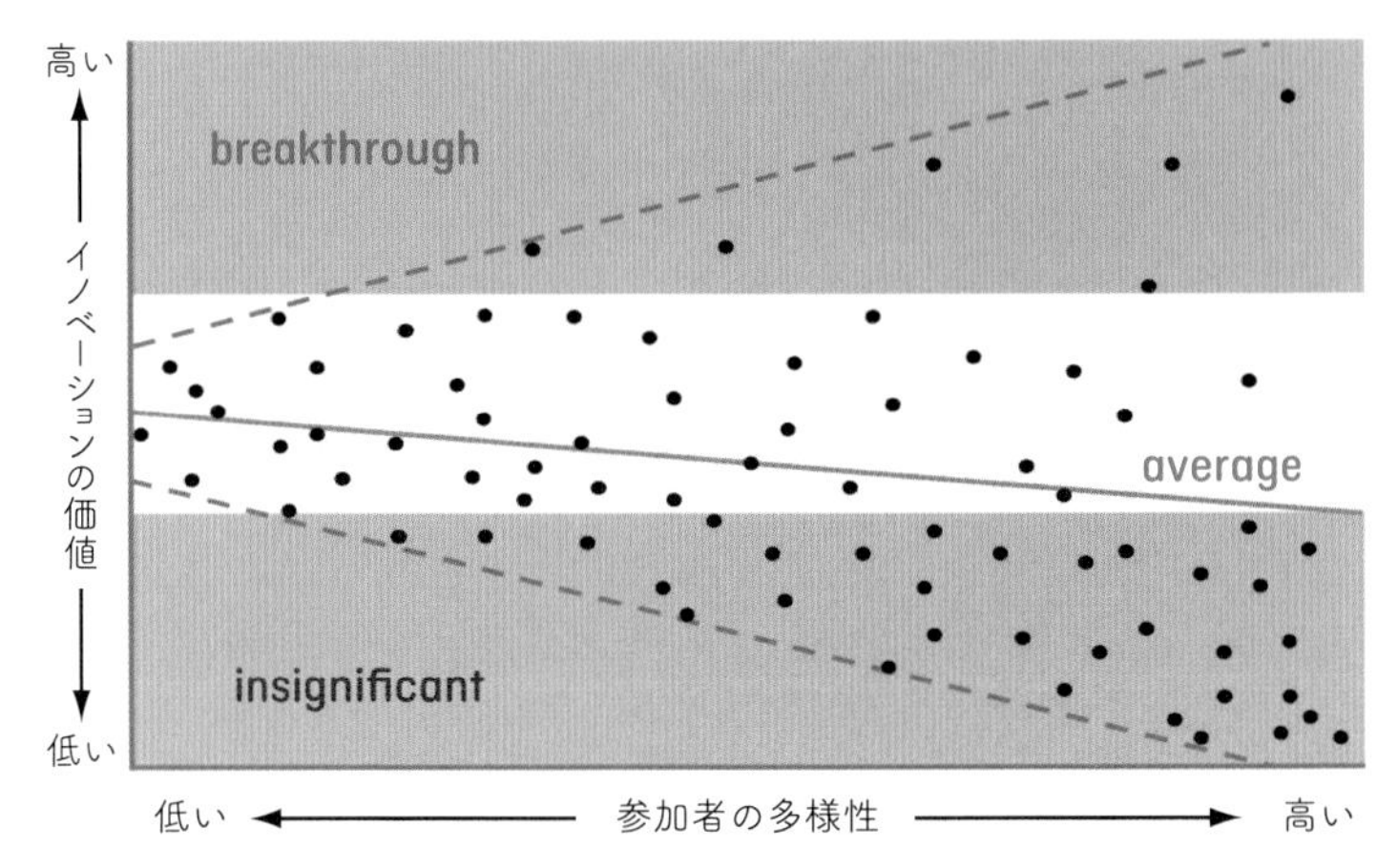

図2-6　イノベーションと多様性

ただし、ブレークスルーするような大きなイノベーションの価値も出ませんし、とんでもなくくだらない発想も出ません。つまり、固い考えが出てくるということになります。

一方、多様性を増やせば増やすほど、くだらないアイデアがいっぱい出てくるんです。平均値は下がっていきますが、ときに突拍子もなく素晴らしいアイデアも出てきます。

素晴らしいアイデアを生み出す手法として、最近ではデザイン思考がよく取り上げられます。デザイン思考では、いろんな人でワークショップをして、ブレーンストーミングをして、多様なアイデアを出しあって、それを収束させる。そして、またブレーンストーミングして……、それを繰り返します。まさに物理系でいうところの引き伸ばし、折りたたみを繰り返すんです。知恵の発散と収束を繰り返すことで、新しいアイデアを生もうということなんですね。

デザイン思考の手法はカオスのメカニズムと非常によく似ています。私が所属する神戸大学でもアイデアの融合の場、言うなればアイデアの撹拌槽をつくりたいものです。

COLUMN by Keiko Gion

「混ぜるな危険」の表示などどこにもついていないのに、混ぜてはいけないような気が勝手にして、混ぜないようにしていたものって、過去を振り返ると実はいろいろとあります。日本人と外国人、男性と女性、マヨネーズとごはん……。違うもの同士を混ぜることは、違いがなくなって均質化することではないように感じます。混ぜても混ぜても日本人は日本人だし、外国人は外国人。違うものが違うままに同じ時間に同じ場所に存在している状態。混ぜると、そこで多様性が生まれます。

今朝、ごわっとしたほうれん草とりんごとバナナをミキサーに放り込んで、スイッチを押したら、ゴーッという音とともに、野菜や果物は木端微塵となって元のカタチは跡形もなくなって、ドロドロの緑色のスムージーができあがりました。海外メーカーのどっしりとした黒いミキサーの中で液体が円形にぐるぐる回りながら、外の液体が内側へ流れ込んでいくのをじーっとのぞき込んでいました。混ぜるって、エネルギーとテクニックがいるのね。さっきまでほうれん草とりんごとバナナとして存在していたのに、できあがったのは、ほうれん草でもなく、りんごでもバナナでもなくなっていました。

03

都市の歴史に学ぶ
未来のまちづくり

小代 薫

こしろ　かおる

神戸大学　計算社会科学研究センター

兵庫県芦屋生まれ。専門は建築学で、建築士である父親の影響で幼少期から建築を志す。キャンプ好きで高校時代はワンダーフォーゲル部に所属する。「キャンプでやっていることは昔の茶室と同じ。生活空間を創ること」という。大学では建築史を専攻。博士論文は神戸の街を対象に、花形の居留地を選ばず、誰も注目しなかった雑居地に着目した研究を行う。この研究が縁でNHKの人気番組「ブラタモリ」への出演を果たす。自然科学が高度に進歩した未来社会を見据え、全体を俯瞰し社会を良い方向に向かわせるために歴史学の重要性を説く。一方で、もう少し建築の仕事を増やしたいとも思っている。未来に向けて、型を重んじたうえで、型破りであろうとするまさに温故知新を実践する研究者である。

僕は建築や都市の歴史を研究しています。今日は、未来の都市像を考えるきっかけとして、過去200年ぐらいの都市計画の歴史をざっと振りかえってみたいと思います。

今につながるまちづくりや都市計画の起源は、1850年頃から始まったニューヨークのセントラルパークの計画だと言われています。建物が建ちはじめる前に公共緑地のための用地を確保し、そこから先は建物を建ててはいけないというルールがつくられました。現在でも公園の緑と都市の高層ビル群がまさに対峙しているような形になっていますね[図3-1]。都市化という問題と、それに対抗する公園や緑地の確保のバランスを追求するというテーマで、これまでの都市計画の歴史をひもとくことができます。

図3-1　セントラルパーク（アメリカ・ニューヨーク）

その後、今度は逆に、公園と公園を緑道などでつなげて、都市を公園や緑地でリング状に囲み、都市の成長をコントロールする発想が生まれてきます[図3-2]。しかし、都市の内部は依然、過密状態にありました。

1900年頃の、イギリスのロンドンも同じような状況で、都心部はスラム化が進んでいました。こういう状況に対して、本来別々に存在している田園と都市を組み合わせたもの、つまり自然豊かな所に住みながら都会的な生活ができる場所をつくるアイデアが生まれます。都心の人口を郊外に分散させるわけです。これが近代都市計画の一番の発明と言われ

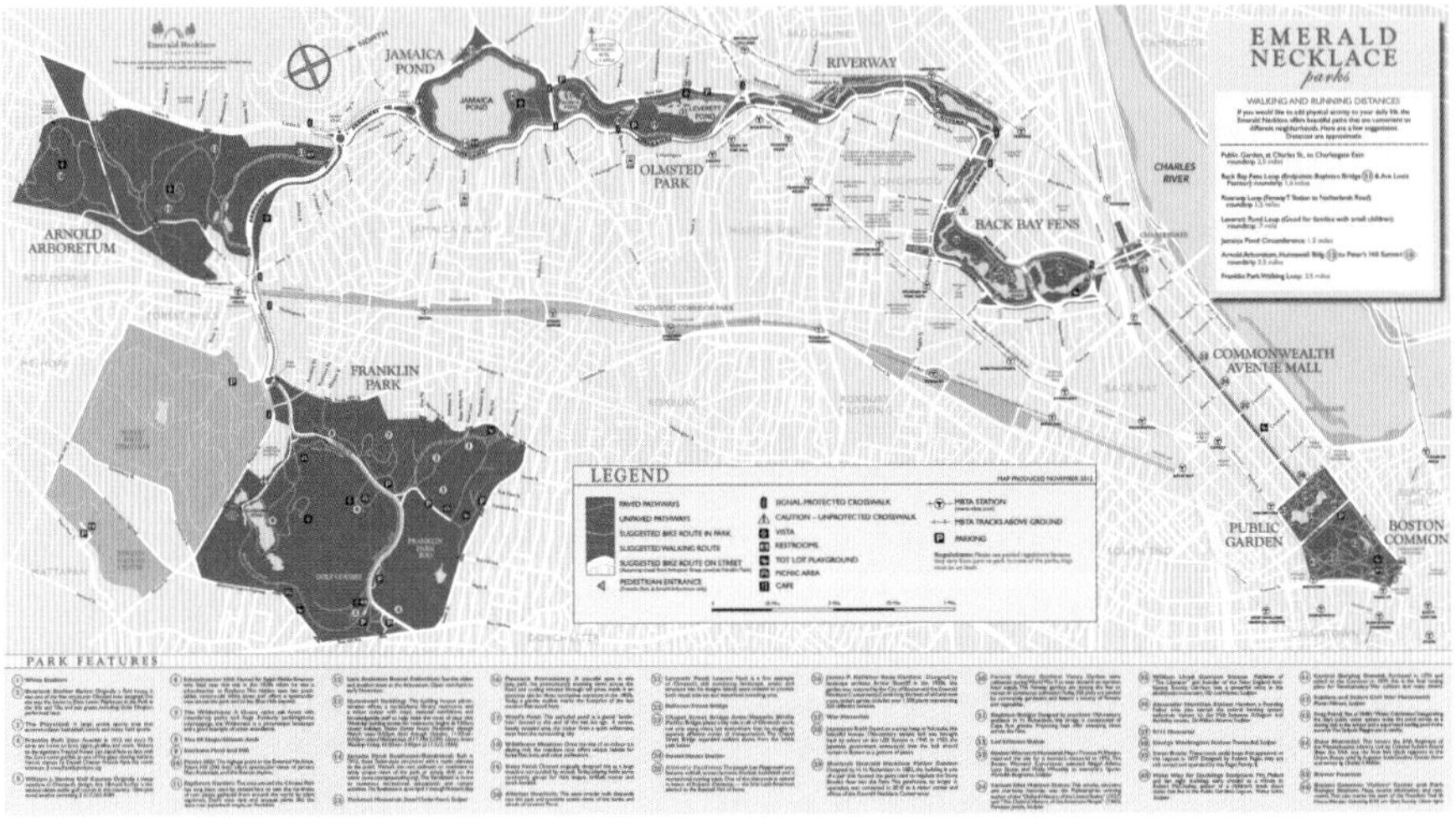

図3-2　エメラルド・ネックレース（アメリカ・ボストン）

図3-3　田園都市のイメージ（イギリス・レッチワース）

る田園都市です［図3-3］。世界中に広まり、日本では郊外住宅地と呼ばれました。背景には鉄道技術の発達がありました。ただし、そのイメージだけが商業的に利用され、結果的に無計画な都市化（スプロール）を招くという現象も起こりました。世界中で風景が均一化していき、文化の多様性が失われるという負の面が指摘されることもあります［図3-4］。

さらに時代が下れば、今度は垂直の田園都市と言えるような発想が生まれてきます。中心市街地の過密に対して、住宅を高層化して空いた空間を確保し、地面を緑地と自動車交通網にしようとする構想です〔図3-5〕。高層建築技術や自動車交通の発達が背景にありました。このイメージも強烈で、郊外のマンモス団地を生みだしました。しかし、実際には、このように広々とした空が望めることは少なく、最低限の日照と緑地のみが確保され、単調な箱形建物が整然と単調に繰りかえされました。

1960年頃からは、ヒューマンスケールのまちづくりが話題になります。〔図3-6〕は、車道の片側一車線ずつだけを残し、他を幅広い歩道につくりなおした初期の代表例です。

図3-4　まちの風景の均一化（アメリカ・ラスベガス郊外）

図3-5　垂直の田園都市（ル・コルビュジェ「ヴォアザン計画」の模型）

図3-6　建設中のニコレット・モール（アメリカ・ミネアポリス）

このように都心を自動車交通の場所から人が歩いて楽しめる生活の場所に取りもどす運動が各地で進みました。

また、この50年で、過去の建築やまちなみを積極的に保存し、文化的な厚みを都市に与える活動も活発になりました。さらに、次の50年に向けて、インフラなどの必要機能は満たしながらも、都市全体を歴史文化という観点も加えて再構築していく必要性も議論されはじめています。

さて、このような背景を踏まえて、未来の都市像についてどのようなビジョンを持てばよいでしょうか。現状の都市を見渡すと、もはや従来の建築の形や都市計画の線引きではとても対処できないような問題が世界中で起こっています。

アジアでは人口が爆発する一方で、日本などの先進国では、人口減少によるまちの機能不全が問題になっています。このような問題に対する先進的な取り組みとして、ランドスケープアーバニズムという考えかたが注目されています。緑地を含むインフラの計画にデザイナーが入っていて、地域固有の課題に応じたデザインを展開することで、人々の生活を積極的に誘導していこうというものです。

ランドスケープアーバニズムは建築家のレム・コールハースという人物が始めました。最近、彼は自身の出身校である英国建築協会付属建築学校でランドスケープアーバニズム学科を創設し、建築学科と同じぐらいの規模で多様な取り組みを進めています。

〔図3-7〕は同学科の学生の提案です。人口が急増しているインドの大都市に対して、環状道路の一部を毛細血管のように細かく、各農村を巡るようにつくりかえて、人口増大のインパクトを軽減しようという計画です。道路が各農村を通っていくために、巨大な資本が集中して街が破壊的に変化していくことを抑えられます。さらに、経済の恩恵も平等に配分できるのではないかというわけです。

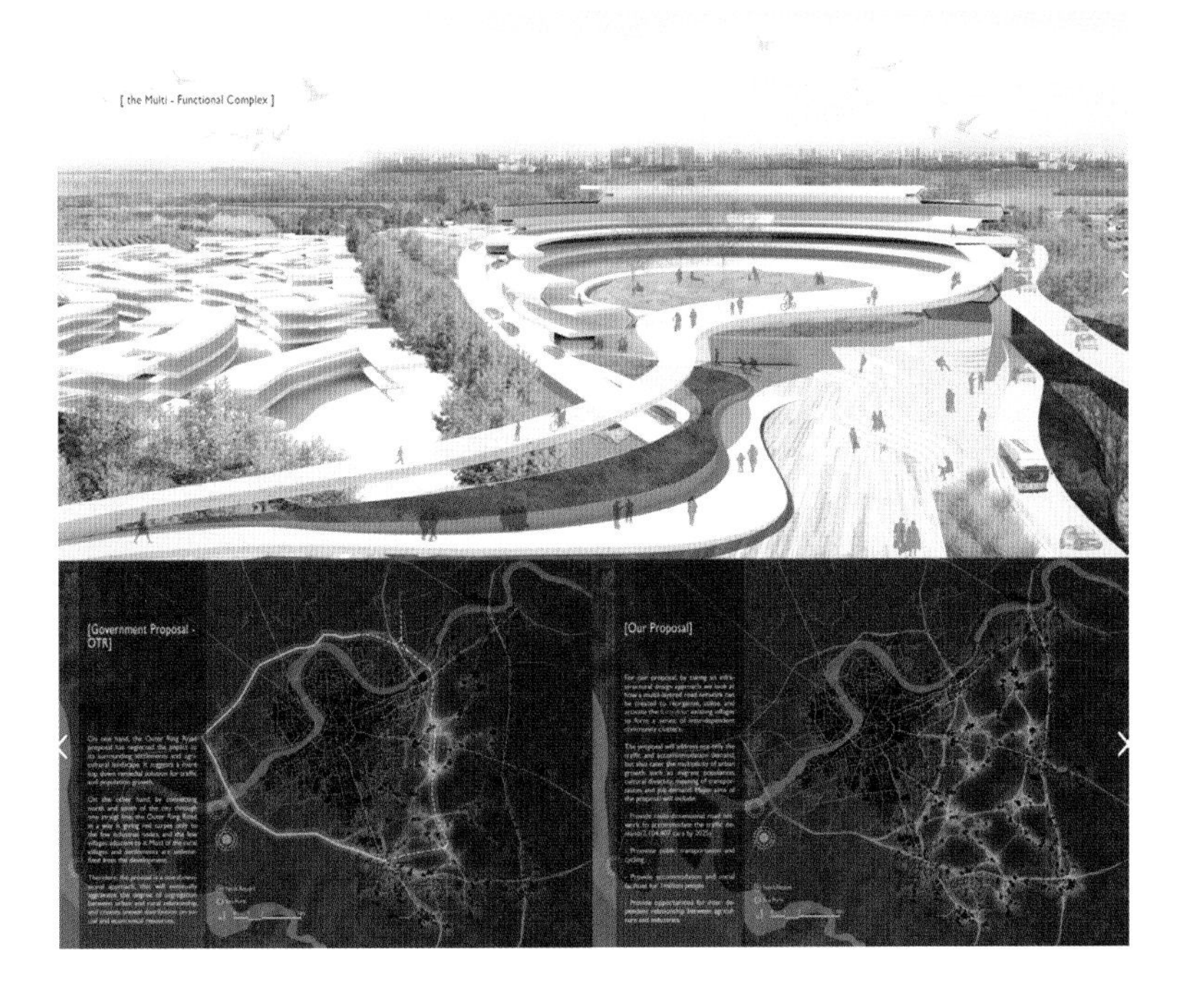

図 3-7　Xiao Gong and Zhiyun He『The Rural Nexus』

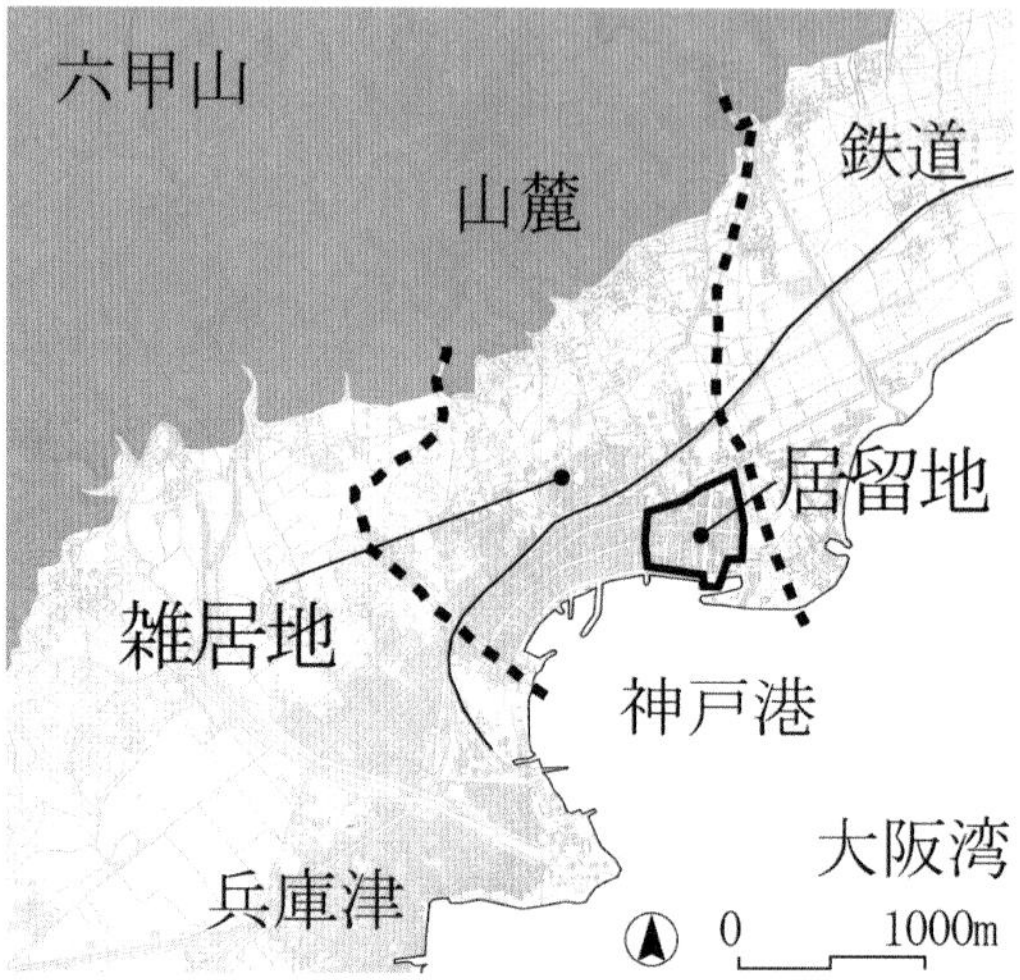

図3-8　かつて兵庫県神戸市にあった雑居地

こういった計画を実行しようとすると、自ずと学際的な研究になります。さまざまな情報を分析して、どう組み合わせると良い方向に導けるか考えないといけません。地域に密着したデザイナーが場所ごとに固有の対処法を考え、学際的な研究を有機的に実施していくことがこれからの都市のビジョンとなるでしょう。

ここからは未来の都市のビジョンを考えるうえで、神戸にあった雑居地についてお話ししたいと思います。雑居地は明治初期に外国人と日本人が一緒に住んでいた場所です［図3-8］。外国人専用の場所だった居留地は何ヶ所かありましたが、雑居地は日本全国でも神戸にしかありませんでした。外国人は自分たちが欲しい施設を日本政府に要求するのですが、日本国土であることから、政府は日本の制度内で対応しないといけません。この雑

図3-9　1910年代の東遊園地（兵庫県神戸市）

居地を通して、後の日本の都市の根幹に関わるような制度開発が進みます。現在の国定公園、地租改正や地方自治制度のルーツがここから生まれました。その経緯をよく調べていくと、例えば公園というものについて、西洋人と日本人の感覚の違いが現れるので、制度や文化の比較ができるわけです。

ここで兵庫県神戸市の2つの公園を取りあげてみましょう。〔図3-9〕は1910年代当時の東遊園地です。対して、〔図3-10〕の布引遊園地は、現在では新神戸駅の北側一帯に広がる布引公園になっています。当時は、まだ日本に「公園」という概念がありませんでした。神戸の外国人が東遊園地のような芝生広場を求める姿から、日本人にとっての「公園」は後者だと解釈できた人物がいたおかげで、布引に限らず日本全国の広大な寺社境内の森などがこの時期に公園として保護されました。それらが今の自然豊かな日本の風景の

図3-10　1890年代の布引遊園地（兵庫県神戸市）

図 3-11　明治初期の布引遊園地（兵庫県神戸市）

基礎になりました。

さらに付け加えると、この布引遊園地では、日本古来の物見遊山（ものみゆさん）の延長上に公園というものを位置づけて制度化が試みられており、後にも先にもこのようなタイプの公園はありませんでした。後の国定公園はこのような自由な使い方を排除していきましたので、布引遊園地のように公園内に宅地を分譲するスタイルはまさに歴史の偶然と言えます［図3-11］。その後も神戸では六甲山全域で、１００件近くこのような茶屋ができて、新しく流行したハイキングとともに、日本人独特の自然を楽しむ文化が発展していきました。

都市化と緑地というバランスのなかで都市計画が進んできた様子を見てきましたが、現在の都市は、より踏み込んでインフラとともに生活空間をデザインしなおしていくことが必要なところにまで来ています。今後の日本が直面する都市縮小を考える際に、日本人になじむ方法として、例えば、当時の布引遊園地にあったような、自然のなかに宅地が点在するようなあり方も、ビジョンの１つとして検討できるのではないでしょうか。

COLUMN by Keiko Gion

夜中に仕事を終えて家へ帰ろうと、疲れきってヘロヘロな状態で研究室の扉を開けて廊下に出たら、真っ暗でした。大学は省エネ対策に力を入れていて、人通りの少ない廊下の電気がつかないことがあるのです。真っ暗な廊下を歩いて、階段を下りようとしたら、踏み外してこけました。立ち上がって泣きそうになりながら歩いていたら、前から某教授が歩いてきて「気をつけて帰りなよ」と声をかけてくれました。少し回復。駅へ向かって構内を歩いていたら、守衛さんに「お疲れ様でした〜」と歌うように声をかけられて、また少し回復。

駅に着くと、どこからともなくたこ焼きの匂いがしてきて、口の中がよだれでいっぱいに。電車に乗ろうとしたら、おばあさんが持っていた大きな荷物を大学生っぽい人がひょいっと持ってあげているのを見かけて、ほっこり。電車に乗ってスマホを見ていると同僚から「今日もお疲れさまでした！　ゆっくり寝てくださいね」ってメッセージが入りました。家に着くまでには私の疲れは吹っ飛んでいました。そして家に着くと、「おかえりなさーい」という大きな声が。いろいろな人と暮らすって、こういうことかもしれないと思って、その日はお風呂に入って寝ました。

第２章

持続可能な社会
と
コミュニティ

Sustainable Society
and
Community

04

人と人がつながる制度づくり

金子 由芳
かねこ ゆか
神戸大学 社会システムイノベーションセンター

北海道出身。2歳ぐらいまで札幌に在住した後、各地を移動するが、再び札幌に戻り高校時代を過ごす。小学生の頃にテレビでベトナム戦争のサイゴン陥落を見て衝撃を覚える。以来、貧困、格差、差別から人々を解放したいという思いを持ちつづけ、大学では、誰もが平等で意見が言える状態をつくる正義のメカニズムとしての法学を学ぶ。その後、女性総合職第1号として、ODAの仕事に携わり、多くの苦労をするが、この経験が彼女の広く優しい視座を醸成することになる。「最後の1人が納得するまで丁寧に話し合うというアジア的文化を大切にすることで、未来の法律はダイナミックに変化し、より人間に身近なものにできる」と言う彼女は、人々に寄り添うどこまでも優しい眼差しで未来を見つめている。

私はアジアの法律を研究していて、少し詳しく言うと比較法制が専門です。行った先々の国で、そこに生きている法制度を調べて比較して歩いています［図4-1］。

今日は未来の都市をテーマに、都市と法律についてお話ししたいと思います。都市の法律は非常に画一的な法制度です。近代法、現代法は、都市を中心とする資本主義のシステムが制度化された19世紀後半に主に形成されました。現代にいたる法制度は、こうした画一的な近現代法です。

アジアの比較法という分野では、都市とは対極の価値とも言える、近代以前からアジア各地に息づいている多くの慣習や法秩序を拾って歩き、学んでいきます。そこから、未来の都市のあり方について考えてみましょう。

図4-1　アジア諸国でのフィールドワーク

未来の都市は、恐らく近代の反省に立って学ぶところから構築されていくのではないかと思っています。近代、現代とは何だったのでしょうか。ひと言で言えば、それは国富やＧＤＰ（国内総生産）の最大化競争でした。

国民国家が分かれて、それぞれがＧＤＰを競い合い、ＧＤＰを増やすために「産めよ、殖やせよ」と進んできたのです。結果、労働者として、また消費者として人口が増えました。18世紀から19世紀にかけて、5億人だった世界人口は、いまや70億人に達しています。地球に負担をかけてしまうほどに人は増えてしまったのかもしれません。そうであるなら、未来の都市はこの近代の延長であっていいのでしょうか。

科学者たちが未来のエネルギーや技術を考えていく一方で、私のような法制度や法政策を論じる人間は、人や人を支える組織に注目していきたいと思います。都市とその背景に広がる農村、そして農村で守り続けてきた自然、そのつながりを構築あるいは再構築していくことがテーマになります。

そこで最近注目を集めているのが、ＳＤＧｓですね。ＳＤＧｓは「持続的開発目標(Sustainable Development Goals)」という国連がつくった目標です。私はＳＤＧｓを掲げて取り組んでいくことが、未来を考えるうえでは後退になってしまうのではないかと考えています。

ＳＤＧｓが提唱される前、２０００年には「ミレニアム開発目標」がありました。この目標のもとでは、未来へ向けた持続性のテーマをどのように指標化・数値化できるか、真摯に議論されていました。ところが、それを発展させて２０１５年に登場したＳＤＧｓは、経済成長、投資促進、エネルギー開発と、近代的な国富の競争テーマが復活しています。近代的な価値に逆戻りしてしまっているように思うのです。

現代はまさにこのような形で価値観が流動化しています。何が私たちの目指すべき価値かが見えない、確定していない、そんな状況なのです。そういった時代のなかで、法律の分野から未来の都市について考えるとき、具体的に私の頭に浮かぶテーマは、開発自由に対する公的規制のあり方、法律の分野でいえば都市計画法制などです。

日本のこの分野の制度は非常に特殊です。例えば、ドイツでは建築は原則不自由で、例外として建築が許されていく制度構造です。日本はその逆で、開発が原則自由であって、例外的にそこに規制を行っていく構造です。その形のままで、未来の都市構想を進めていってよいのか議論が必要です。

また、日本は、公共事業がとても優先される制度になっています。最近、憲法改正についてニュースで見かけることがありませんか。憲法29条の2項や3項をぜひ1度読んでみてください。そこには、公共性や公共の福祉という言葉が出てきます。しかし、その言葉の意味は明確に定義されないままです。「公共性」という言葉のもとに、公共事業がどんどん優先されていきます。「公共の福祉」というものにあたれば、補償もなく無償で皆さんの財産が取り上げられてしまう制度になっているのです。

公共性とは何なのかという再定義は、世界でも確定していません。公共性を未来の都市に向けて再定義することは、法学分野から貢献できるテーマでしょう。

法学が未来の都市に対してできることは他にもあります。例えば、公助、自助、共助といった言葉をよく耳にするようになりました。これらの関係を再編するというテーマも法学から考えていくことができます。私自身もこのようなテーマのもとで進めているプロジェクトがあります。災害対策基本法という防災分野の基本的な法律があります。１９６１年に登場して、半世紀にわたって運用されてきました。この法律では当初から、国の責務、つまり公助の考えかたとして、万全の措置を講じて国民を守るという理念が掲げられていました。

ところが、２０１１年の東日本大震災の後、２０１３年に災害対策基本法は改正されました。国の責務に関する条項は縮小され、自助や共助が強調されています。しかし、「公助が後退したので、その代わりに自助や共助を」でよいのでしょうか。私は、それは未来都市のあり方ではないと思っています。むしろ、自助や共助を盛り立てていけるように公助のあり方を構築していくべきではないでしょうか。

そこで、神戸から発信するモデルが改めて注目されると考えています。神戸には、前近代から継承される伝統ある文化が日本でも最大の規模で存続しています。それが日々の地域のコミュニティを支えています。

例えば、防災活動の防コミ（神戸市防災福祉コミュニティ）、地域福祉のふれまち（神戸市ふれあいのまちづくり協議会）などがあります。神戸は日本最先端の都市型の制度や条例をつくってきたのです。それには、大都市・神戸のなかに残る農村性といったようなものが関係しています。神戸は単なる近代モデルではない新しい都市のモデルに挑戦していると思います。

私は、アジアの比較法を研究するうえで、アジア各地の農村や漁村をまわって、さまざまな人たちに話を聞いてきました。座学で法律を勉強するばかりでなく、現場に行って考えることを大切にしています。実際の社会のなかで、どのように法が動いているのかを現場で知ることはとても大事なのです。

実は、私は地元の生活圏でも小学校のＰＴＡ会長を務めさせていただいたり、防コミやふれまちにもかかわったりしています。アジアの留学生たちが地域の方々と交流する機会をつくらせていただくこともあります。これからも、私自身が実際に行動しながら、身近な活動をとおして未来へ向けたまちづくりを考え続けていきます。

COLUMN

by Keiko Gion

私の家は昭和中期にできた住宅地にあります。築40年くらいと新築の家が混在しています。私の両隣ともに新築で、右隣は40年前から住んでいる家族が2世帯住宅に建て替えて暮らしています。そこのおばあちゃんはクリーン作戦の日にいつもイチョウの落ち葉を掃いて集めます。細かいことを気にしないおばあちゃんで、アスファルトの上に落ちた葉だけ掃除して、イチョウ並木の植わっている土の上の落ち葉はそのままにします。土の上の落ち葉は肥料になるからだとか。私もクリーン作戦の日には家の前を掃いたり雑草を抜いたりします。互いに「お天気が良くて良かったですね」「イチョウの落ち葉は面倒くさいねぇ」と一言二言を交わします。

この数年、毎年秋から冬にかけてクレーン車がやってきてイチョウの枝をバッサリ切るようになりました。枝という枝をすべて切っていくので、まるで腕をもぎ取られた案山子(かかし)のような木が車道に沿って一列に並びます。痛々しく見える枝の切り口に、傷薬を塗ってあげたくなるのですが、おかげで落ち葉掃除から解放されました。イチョウの落ち葉がなかったら、おばあちゃんと一緒に道路を掃くこともないな、きっと。

05

だれもが取り組めるSDGs

内海 美保
うつみ みほ
経済産業省近畿経済産業局地域経済部

大阪府出身。これまでの人生をずっと吹田で過ごす生粋の大阪人である。大阪通産局入局以来さまざまな仕事を経験。どのような局面も笑いに変えて、面白く楽しめる技をもつ。女性は寿退社があたりまえという時代に、子育てと仕事を両立してしまう努力家。仕事のかたわら、大学のMBAコースを受講し、夜遅くまで大学の自習室で勉強する努力家。大好きなカラオケは自主練習するほど、遊びも本気で一生懸命になってしまう努力家。理想の未来は100歳まで働けて、すべての人が世の中の役に立っていると実感できるような社会。世界中の子どもたちが安全で安心して、ちゃんと生きていける社会。そんな自分の理想を「青臭い」と笑いながら、今日も仕事に遊びに本気で一生懸命になっている。

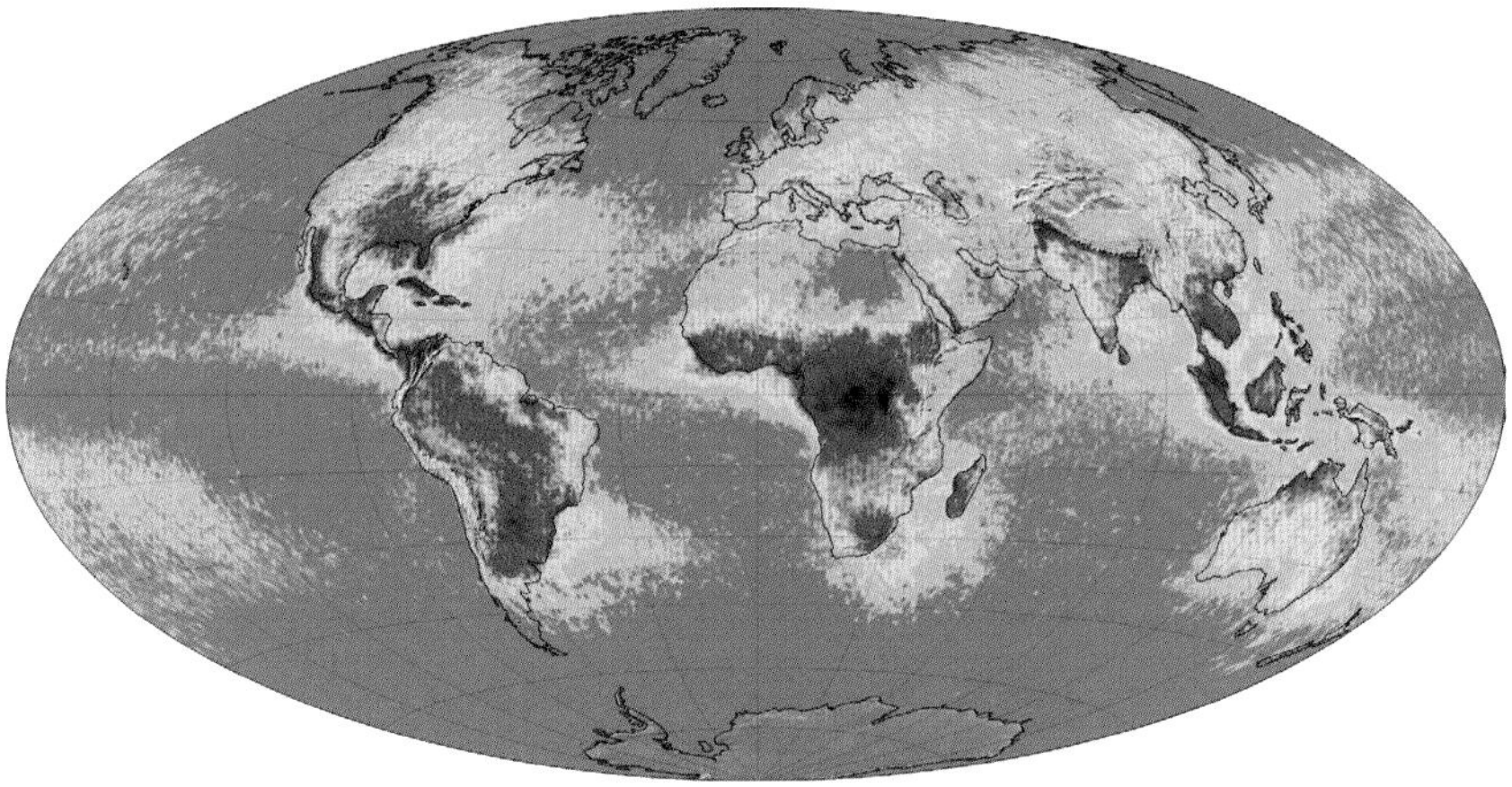

私は近畿経済産業局という国の機関の地方局で働いています。今日は日ごろビジネスに深く関わる立場から、ＳＤＧｓとビジネスについて考えていきたいと思います。

最初に紹介したいのは、ＮＡＳＡが提供している1枚の地図です［図5-1］。赤いところは、毎年雷がよく落ちている場所です。アフリカ大陸が真っ赤になっていることが分かりますね。例えば、ルワンダ共和国とコンゴ共和国の境目にキブ湖という大きな湖があります。赤道直下でものすごい上昇気流があり、雷が非常に多く発生するそうです。

こういった雷の多い地域で人々はどのように暮らしているのでしょうか。［図5-2］は、ルワンダの農村で働く女性です。何もない高原を歩いています。周りには建物がなく、木もあまり生えていません。このような場所で雷が発生すると、どこにも逃げられません。また、普通のルワンダの農民が暮らす家は基礎もなく、単にレンガを重ねただけで、雷に対してきわめて脆弱な建物だと聞いています［図5-3］。

さて、ルワンダを中心として、アフリカで雷対策の事業を展開している会社が兵庫県尼崎市にあります。音羽電機工業という避雷器を作っている会社です。社

図5-1　世界の落雷マップ

図 5-2　ルワンダ共和国の風景

図 5-3　ルワンダ共和国の一般的な住居

会貢献の観点だけではなく、ビジネスとしても成り立つように事業を行っています。ビジネスを通して課題を解決する典型的な事例として紹介したいと思います。

音羽電機工業では、ルワンダ人へ向けて避雷器の基礎知識などについて研修を実施しています。避雷器は建物の中の電気系統のどこに取り付けるかによって雷による被害を防げる度合いが違ってくるそうで、設置するための人材育成に取り組んでいるのです。現地の人の手で設置および保守ができるように研修しつつ、音羽電機工業のエンジニアが後方支援するというわけです。

このような取り組みが、実はＳＤＧｓにつながっています。音羽電機工業は最初からＳＤＧｓを意識してルワンダでの事業を始めたわけではありません。しかし、実際には国連が定めたＳＤＧｓの達成に貢献をしています。ＳＤＧｓは国連が２０１５年に定めた開発目標ですが、日本の商人は１００年以上も前から「三方よし」、いわゆる売り手よし、買い手よし、世間よしを実践してきました。「会社とお客さんが満足するのは当然で、社会に貢献してこそ良い商売なのだ」という近江商人の経営理念です。それを実践して日本の会社は発展してきたとも言えます。

ここでＳＤＧｓについて詳しく説明しましょう。ＳＤＧｓは、17のゴールと１６９のターゲットを掲げています。２０３０年に向けて、皆でそのゴールの実現に取り組んでいこうということです。ＳＤＧｓが採択される15年前、「ミレニアム開発目標（Millennium Development Goals：MDGs)」が定められました。このＭＤＧｓの後継として定められたのが、ＳＤＧｓです。ＭＤＧｓでは、飢餓や貧困、乳幼児の死亡率低下、妊産婦の健康などが中心でした。どちらかというと、先進国の力で発展途上国を支援する内容でした。ＳＤＧｓは先進国自身も含めて、また政府だけではなく企業も、私たち一般人も、皆で取り組むための、いわば世界の共通言語です。ＳＤＧｓの達成の先に見えている社会はSociety 5.0と呼ばれています。ＩｏＴ、ロボット、ＡＩなどの新しい技術を取り入れてイノベーションを生みだし、一人ひとりのニーズに合わせて社会課題を解決する社会と言われています。

このＳＤＧｓの実現に向けては日本政府も積極的に取り組んでいて、すべての国務大臣を構成員とする持続可能な開発目標推進本部を設置しています。具体的なアクションプランをつくり、国連に進み具合を報告しています。経済界でも、経団連（日本経済団体連合会）が企業行動憲章にＳＤＧｓを入れました。約３００社が参画するグローバル・コンパクト・ネットワーク・ジャパンでは、企業がＳＤＧｓに取り組むためのレポートを発信しています。

［図5-4］では、国連の方に教わったやり方で、便宜的にＭＤＧｓとＳＤＧｓの各目標を５つのＰに分けてみました。５つのＰとは、人々（People)、地球（Planet)、パートナー

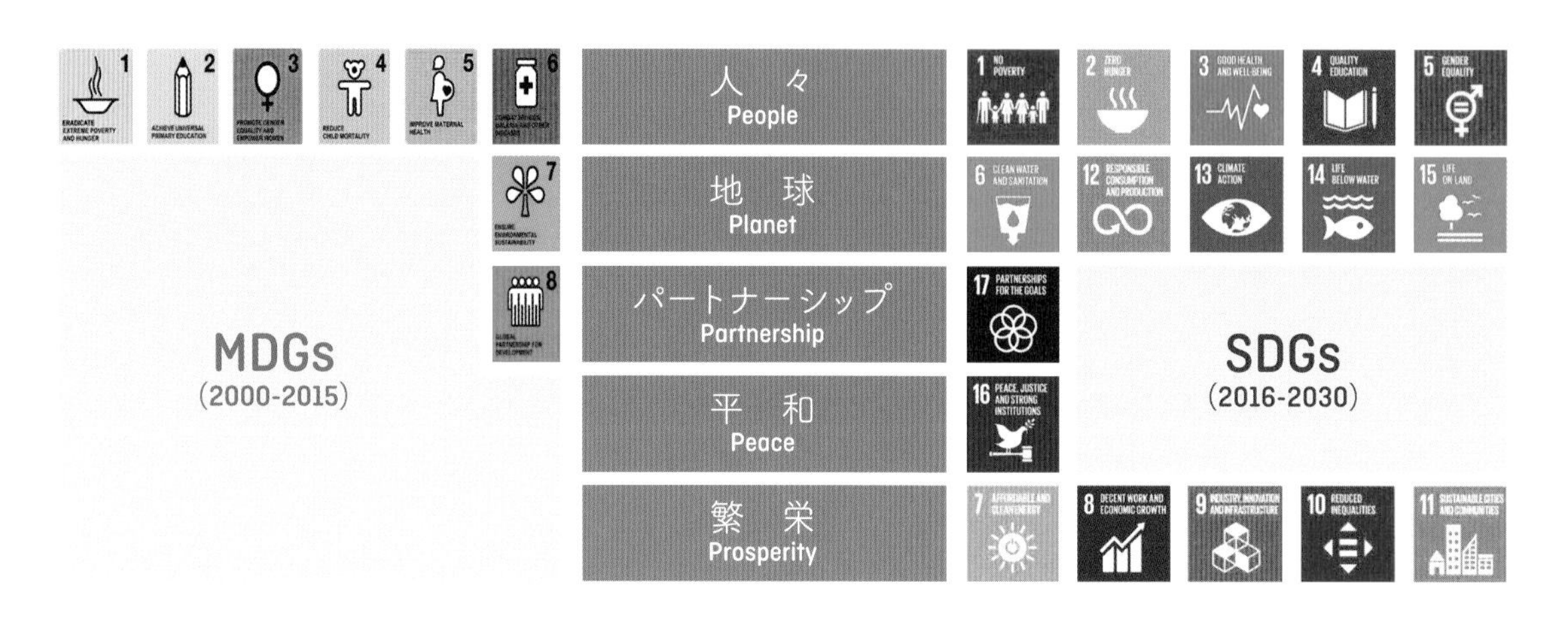

図 5-4　SDGsとMDGsの比較

シップ（Partnership）、平和（Peace）、繁栄（Prosperity）です。

Peopleには多くの目標がありますね。PlanetとPartnershipにもいくつかの目標が該当します。しかし、MDGsでは、Prosperityに該当がありません。Prosperityには、町づくりや産業・工業の発展など、企業のコミットが必要な分野です。これがMDGsとSDGsの違いであり、SDGsは政府機関だけではなく企業も市民も皆で取り組んでいく目標ということが分かりますね。

SDGsとビジネスは一見、直接に関係がないように見えます。しかし、民間企業は資金、技術、経済成長、雇用の主導力として、SDGsの達成に大きな役割を果たします。企業がこれに取り組まないことは非常に大きなリスクになります。なによりビジネスの戦略をSDGsに適合させることで、イノベーションを創出する可能性が広がります。

企業は自社の事業を1つずつ見直して、まだ埋もれている価値に気づくことが必要です。SDGsというレンズを通して自社の事業を見てみると、気づいていなかった価値を発見できることがあります。そして、社会課題に対してアイデアを出したり、開発をイノベーションにつなげたりすることができます。それはきっと企業価値の創造にもつながっていくでしょう。

２０１７年12月、ＪＩＣＡ関西、関西広域連合および近畿経済産業局は、関西ＳＤＧｓプラットフォームを立ち上げました。関西を中心に、さまざまなステークホルダーが一緒にＳＤＧｓに取り組んでいこうということで、２０２０年現在、１０００を越える企業、団体、大学などが加盟しています。

近畿経済産業局では、その分科会として「関西ＳＤＧｓ貢献ビジネスネットワーク」も設立し、ビジネス視点でＳＤＧｓを考えていく取り組みを拡大しています。ＳＤＧｓにコミットするビジネスからイノベーションが生まれる社会におおいに期待しています。

COLUMN

by Keiko Gion

トイレで何かを閃いたり、お風呂に入りながら何かに集中したり、「仕事をするぞ！」と取り組んでいる間よりも、日常のふとしたときのほうが、仕事のアイデアが湧いてきたりするものです。いつから「仕事」という言葉が、稼ぐためにする事柄を指すようになったのか分からないのですが、仕事とプライベートの境目がいつからなのか、どこからなのかを決められない人も多いのではないでしょうか。仕事が自分の生活の一部となっていて、境目が見当たらないのです。ですから、ワーク・ライフ・バランスの取りかたもなんだかよく分らないままになっています。この世の中には、境目が分からないものが、とてもたくさんあります。子どもと大人とか、顎と首とか、金持ちと貧乏とか。境目がよく分からないのに、分かった気になることが多いです。

大学受験を控えていたとき、電車の座席で問題集を膝の上に広げて必死に問題を解きながら予備校へ通っていました。隣の席で爆睡しているおじさんをうっとうしいと思いながら、ふと顔を上げると、目の前に母が立っていました。微笑みながら「いってらっしゃい」と言って電車を降りていきました。私は「いってきます」と心のなかでつぶやくのが精一杯でした。

06

災害を乗り越えるための経済学

堀江 進也

ほりえ しんや

尾道市立大学 経済情報学部

愛媛県松山生まれ。岡山、大阪、兵庫と移り住む。幼い頃は冷戦や原発事故のニュースを見るたびに、来年自分は生きているのだろうかとしょんぼりし、「死」が怖くて仕方がなかった。そんな怖がり屋は、検事か消防士か歌手になりたいと思っていたが、阪神・淡路大震災の経験から、経済の重要性に気づいて経済学者に。歌手を志望していただけあって、授業では彼の大きな声が響く。専門は災害復興のための経済政策。震災後の宮城県に赴任し地域の人々と触れ合った経験から、災害復興の効率性だけではなく公平性にも着目する。福祉の重要性を説くが、予算の問題も憂える。「復興はまだまだ続いている。我々はそれを忘れてはいけない」と、経済復興とは何かを日夜考えている。

東日本大震災によって被災した東北地方。その復興について経済学者の視点からお話しします。東北地方太平洋沖地震津波合同調査グループによる［図6-1］は、東日本大震災の津波の高さを示しています。この図を見て分かるように、この地震のインパクトは非常に大きなものでした。被災者のみならず、多くの人に衝撃を与えたことは言うまでもありません。この災害に経済学はどのように関係しているのでしょうか。

経済学には2つの大前提があります。1つは、私たちの欲望には際限がないこと。もう1つは、資源は有限であることです。つまり、やりたいことのために限られた資源をどう使うか。そういうことを考えるために経済学があります。

東日本大震災によるGDP（国内総生産）の損失は8・3％、地域GDPの損失は16％にも上ります。復興がいかに経済的な視点からも大きな課題であるかをうかがえる数字です。

東日本大震災によって大きな被害がもたらされました。［図6-2］のバーの高さは、津波によって失われたモノ（建物や道路の資材など）を推計した量を表しています。このような図を読むときには注意が必要です。これらのバーは、いくつかの地区をまとめたものに対してプロットしたものですから、滑らかにすべての面を覆いつくしません。地図自体も完璧には日本の地形を表現していません。つまり、バーがないからといって、被害がなかったわけではないのです。さらに、手前より遠方のバーは一見まばらに低く見えますが、視点を変えると、見えかたは異なります。さて、そこに注意した上で改めて［図6-2］を見ると、津波によって失われたモノの量がさまざまであることが分かります。自然の地形や地域のありようによって、津波の被害は一様ではないのです。

津波被害に加えて、福島第一原子力発電所事故が発生しました。放射性物質の除染が現在に至るまで問題になってきました。これらの問題を経済学から考えていきましょう。

第1の視点は、「復興するためにはどうするべきか」です。そもそも「復興」とはどういう意味なのでしょうか。ここでいうところの復興とは、非常に大きくダメージを受け、経済規模が小さくなってしまった社会で、経済を発展させようということです。

まず考えるべきは、人口です。人がどのぐらい集まるのかが重要になります。人が集まらないと、ビジネスが成り立ちません。人がいるかぎりは、病院も飲食店も必要です。しかし、あまりに人が少ないと、それらは成立しませんよね。一定以上の人口が必要になるわけです。そこで、被災者にアンケートを取ることにしました。どういう人たちが被災地に残るのか、あるいは被災地から一旦離れた方は帰ってくる予定があるのか調べました。すると、災害リスクが関係していることが分かりました。

被災した方には、同じようなひどい目に遭いたくないという気持ちがあります。「災

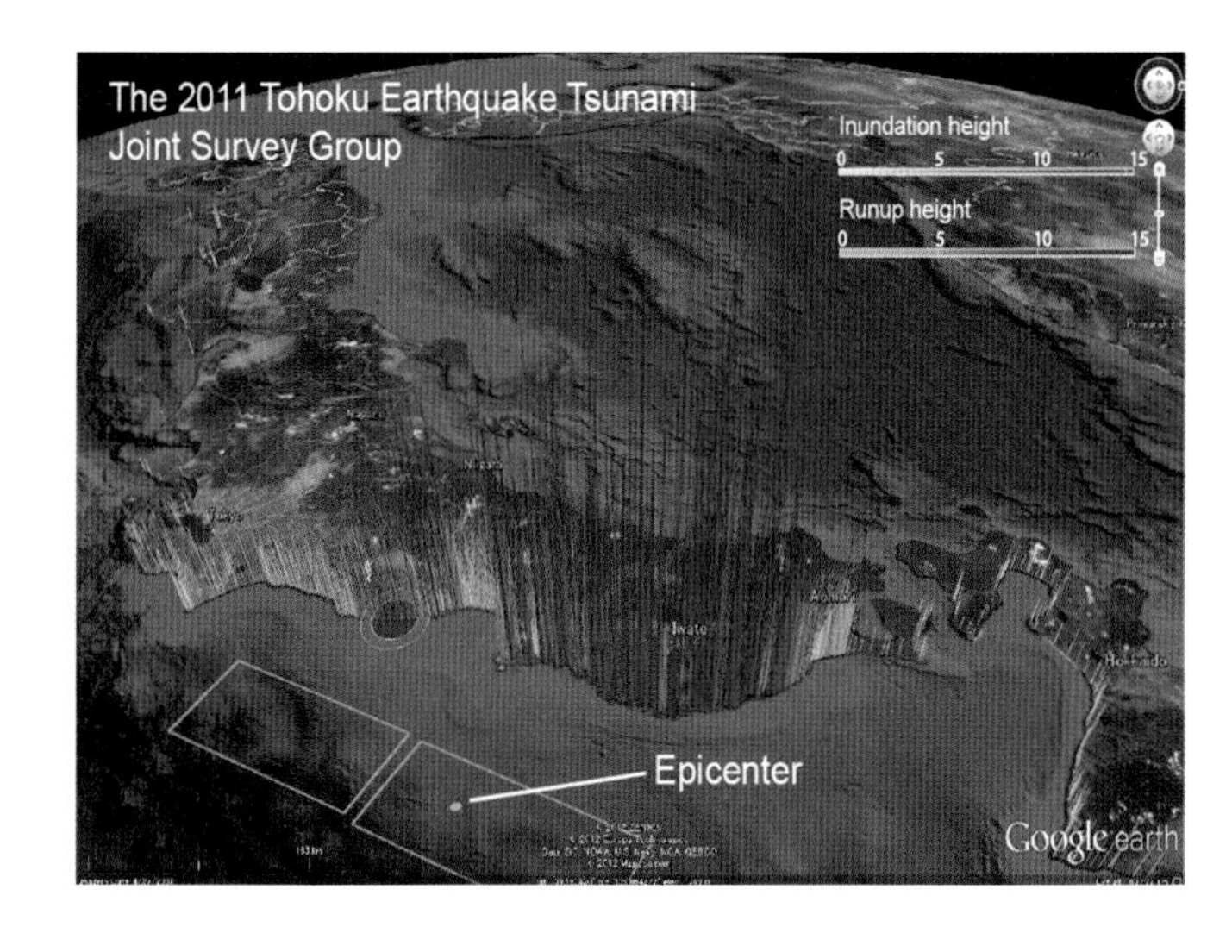

図 6-1　東日本大震災の津波の高さ

図 6-2　津波によって失われたモノの推計量

図6-3　宮城県の沿岸部にある防潮堤

害リスクが十分に低ければ帰ってきます」という声が聞かれました。あるいは、「生活ができるなら」「知人など自分以外にも人が帰ってくるなら」といった意見もありました。

　これらの意見から分かるのは、災害リスクと経済をなんとかしなければいけないということです。経済復興のために経済をなんとかするというのは、ひよこが先か卵が先かというふうに聞こえるかもしれませんが。

　まず、災害リスクから考えていきましょう。津波被害を受けて、宮城県では沿岸部に非常に高い防潮堤を建設しているところがあります［図6-3］。この防潮堤をすべての沿岸部に整備するとなると、莫大なお金がかかります。前述のとおり、被害には非常に大きい場所と小さい場所があります。被害が小さかった場所には、比較的管理の楽な防潮林の造成を検討してもよいかもしれません。必ずなにかしらの工夫が必要なのです。

　放射性物質についても同じことが言えます。原発事故以来、放射性物質による健康被害に不安を覚えた方は少なくないでしょう。しかし、実は、多くの人は除染や汚染レベルよりも、どれくらいの人が福島県に帰ってくるのかを気にしています。もちろん福島に安心して帰られるように完全に除染をするという目標を立てることは大切かもしれませんが、その効果には限界があります。重要なのは、人が集まっているのかどうかで

図6-4　石巻魚市場

す。例えば、公共サービスは機能しているのだろうか、スーパーマーケットは開いているのだろうか、人々はそういったことにも関心を寄せます。

では、第2の視点である経済に目を向けてみましょう。経済が立ちなおらないと人は集まりません。

東北地方の主要産業の1つは漁業です。東日本大震災以前から、東北地方の漁獲高は非常に下がっていました。その結果、設備や人が過剰投資になっていた背景があります。過剰投資とは、設備を維持したり追加したりするコストが、それによる利益を上回っていることです。

逆に言えば、設備や人員を少し減らすと、漁業の利益を上げることができるわけです。80%の港を操業停止にし、90%の人が漁業から離職したとすると、以前の3倍の利益を見込めるのではないかと言われています。

数多くの港が震災によって圧倒的なダメージを受けました。船が損なわれた港、着岸する設備が損なわれた港、水産加工工場が損なわれた港……。それらを修復するために、何をすればよいのでしょうか。

もしかすると、水産加工工場が壊れていない港から修復するのが、最善策かもしれません。東北地方の魚の70%は冷凍加工工場に回されるため、水産加工設備が必須なのです。

これを機に、どの港を修復すべきか、あるいは修復を諦めるべきなのか、議論が必要です。ただ漠然と元に戻してはいけません。石巻には、新しく大きな市場ができました[図6-4]。この市場の近くには水産加工工場がたくさんできています。

災害はどうしても起こってしまいます。だからこそ、どのように復興するかが大切です。大きな災害の後、それをきっかけに工夫して、新たな取り組みによって、災害以前よりも社会を良くした例は過去にもあります。資源は限られているかもしれませんが、工夫次第では増やすことができます。社会や経済の再編に対して、尻込みせずに取り組んでいく必要があるでしょう。漠然と元に戻そうとするのではなく、また強硬に変化を進めるのでもなく、議論を尽くして復興を進めていくことが最も大切なことです。

COLUMN

by Keiko Gion

昨日、晩ごはんに麻婆豆腐を食べました。山椒がきいたピリ辛でご飯と一緒にいただくと最高でした。今日のお昼ごはんはステーキ丼でした。そして、今日の晩ごはんは塩サバ。毎日毎日いろいろなものを食べていますが、食べたものはまるで私の一部になって、私が大学へ行って勉強したり、友だちとおしゃべりをしたりしている間に、どこかへ消えてしまいます。しかし、麻婆豆腐をたくさん食べすぎると、辛いものにそれほど強くない私のお腹は不調をきたします。過ぎたるは及ばざるがごとし。ちょうどよい塩梅というものがあります。麻婆豆腐をどれだけ食べたら不調になるかは、食べ過ぎて不調になった経験を踏まえて試行錯誤の末に分かるようになりました。ただ、誘惑に負けて、ちょうどよい塩梅を超えて麻婆豆腐を食べてしまうことがよくあります。もちろん、その結果は言わずもがな。

そういえば、1日に100食しか提供しない定食屋さんの記事を少し前に読みました。毎日売り切れるのであれば、もっと作ってもっと売ろうと考えるのが一般的ですが、その定食屋さんのちょうどよい塩梅は100食なのだそうです。ちょうどよい塩梅って、定めるのが難しいけれども、人を心地よくするように思います。

第3章

テクノロジーと都市

Technology and Urban Life

07

細菌とたたかう人類の未来

大路 剛
おおじ ごう
神戸大学 都市安全研究センター
医学部医学科

兵庫県神戸出身。これまでの人生のほとんどを神戸で過ごす生粋の神戸っ子である。感染症内科を専門とする彼は人との関わりをなによりも大切にする。半端ではないSF小説好き。SF小説であればドイツ語で書かれた原書でも読む。「SF小説は人の歴史の振り返り」という彼は、小説のなかに人間の根元的なところにある意識を読み解こうとしている。このSF小説好きも彼の人との関わりへのこだわりから来ているのかもしれない。描く未来像は、SDGsみたいに健康でやりがいのある、みんながハッピーに暮らしていけるような世界と語る。未来を見つめる彼の視界には、感染症学を通して人と社会のダイナミクスがはっきりと見えている。

今日は病気、とりわけ感染症についてお話しします。古来より感染症、すなわち病原微生物による感染は人類にとって大きな問題になってきました。治療可能な感染症の大きな原因になるのは、ウイルスではなく細菌（バクテリア）による感染症です。

〔図7-1〕は、グラム染色という方法で細菌に色をつけた顕微鏡写真です。黒い丸が黄色ブドウ球菌というバイ菌です。第一次世界大戦で亡くなった兵士の大半は、傷口から黄色ブドウ球菌に感染したことが死因です。その後、ペニシリンという最初の抗菌薬が登場します。ペニシリンは黄色ブドウ球菌をやっつける目的で開発されました。しかし、1950年以降、ペニシリンは使えなくなってきます。ペニシリンが効かないペニシリン耐性黄色ブドウ球菌が出現したのです。すべての黄色ブドウ球菌がペニシリンに耐性をもっているわけではありません。

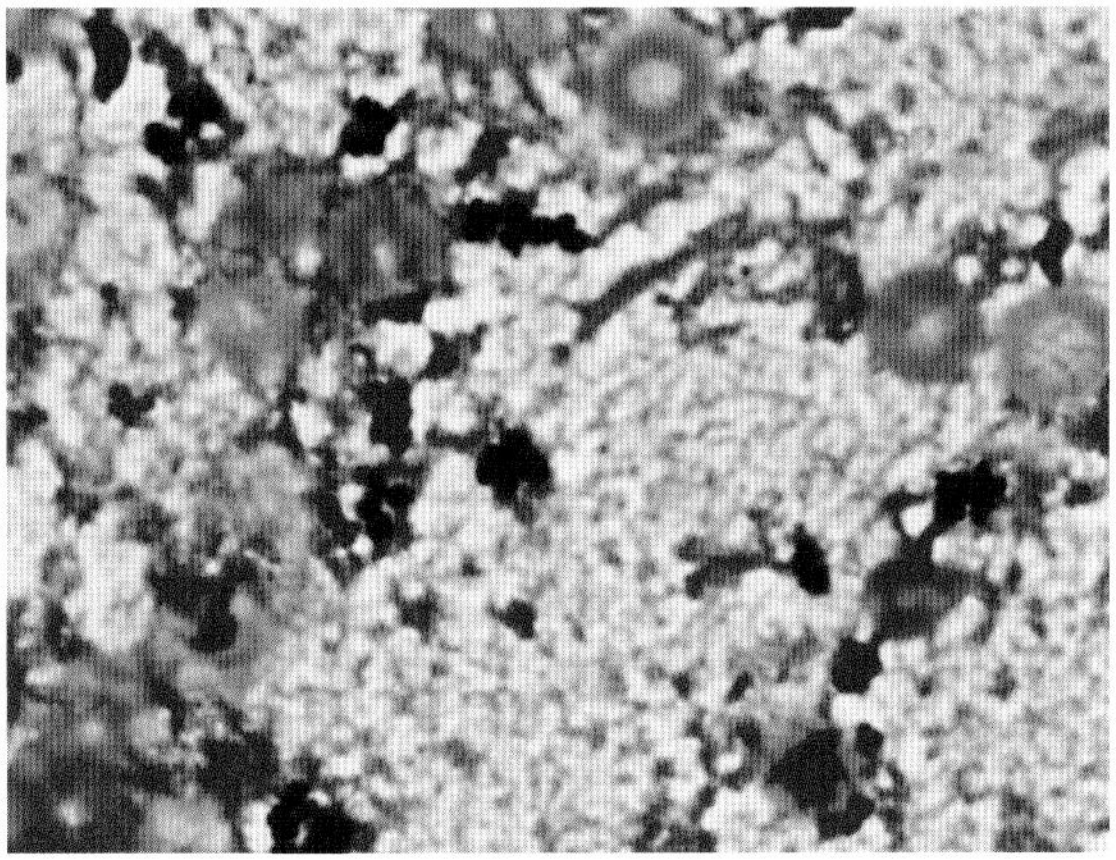

ペニシリンは黄色ブドウ球菌以外の悪さをしていない細菌を殺しすぎることがありません。ペニシリン耐性がない黄色ブドウ球菌の感染症には、ペニシリンがさまざまな理由でベストな治療効果を得られる薬です。

ペニシリンが黄色ブドウ球菌に使用できるかできないか、どのように調べるのでしょうか。微生物検査室などで、どんな抗生物質がその菌に効果があるのかを調べます。〔図7-2〕は、自動化された調べかたの1つです。くぼみに決まった量の細菌を入れ、いろいろな抗生物質をさまざまな濃度で入れていきます。こうし

図7-1　黄色ブドウ球菌

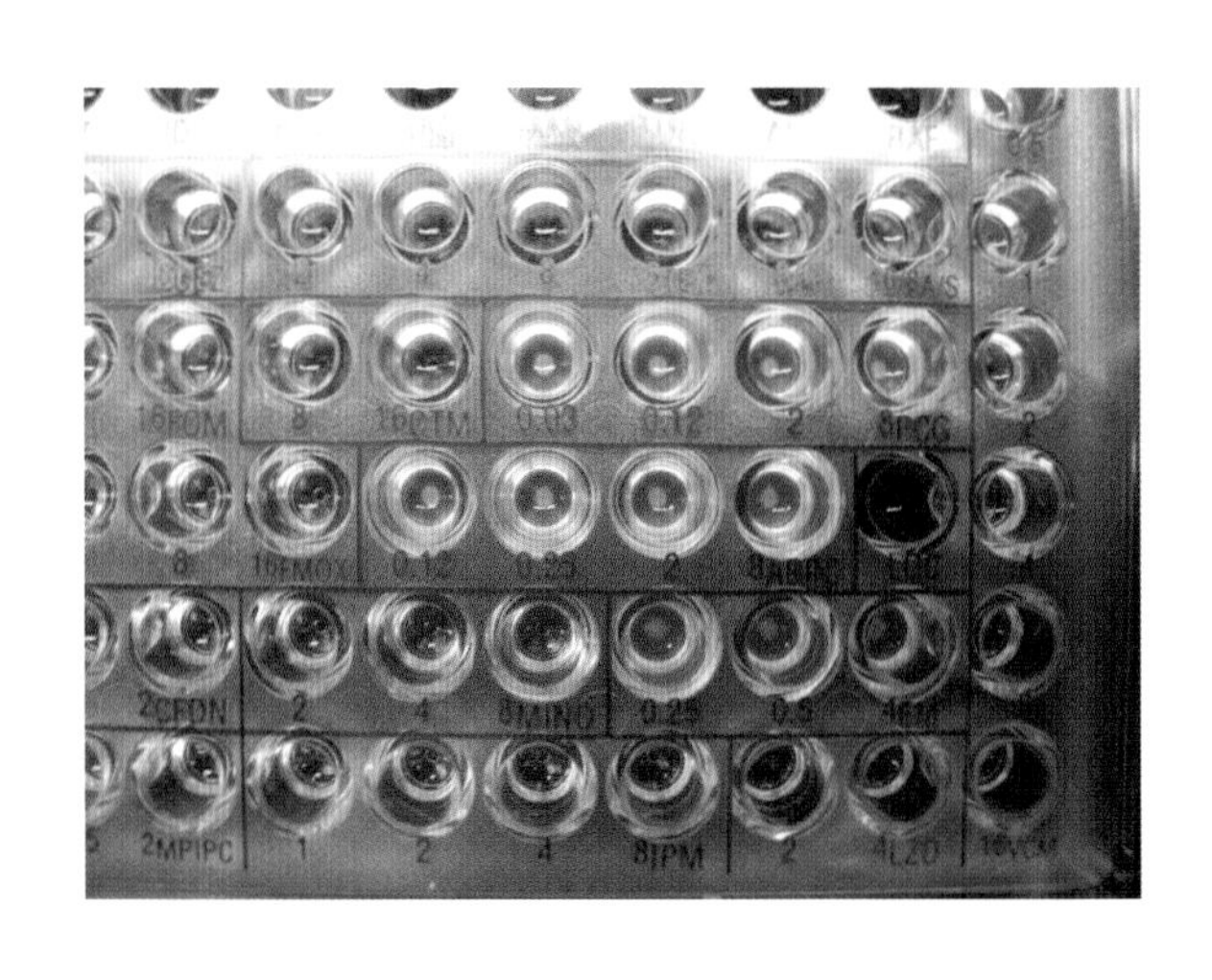

図7-2　微量液体稀釈法

て、どの種類の抗菌薬がどの濃度で菌の発育を阻止できるかを調べます。しかし、最終的に先ほどのペニシリンが黄色ブドウ球菌の感染症に使えるかどうかは、これだけでは確認できません。通常はそのための確認検査が必要になります。

ゾーン・エッジ法と呼ばれるこの確認検査は結構手間がかかります［図7-3］。陰性と陽性で少し見た目が違うのですが、この判定は人によって差が出てしまいます。ペニシリンという有効な薬を手間なく使えるように、確認検査をもっと簡単に、自動化する方法も研究しています。

今、抗菌薬の耐性は世界的に問題になっています。風邪をひいて病院へ行くと、抗生物質をもらうことがありますね。しかし、そもそも風邪に抗生物質は必要なのでしょうか。もしインフルエンザウイルスなら抗生物質は全く効きません。効かないかもしれないのに、どんどん抗菌薬を処方していくと、抗生物質が効かないバイ菌が体の中に増えてしまいます。そこで、ペニシリンの例のように、黄色ブドウ球菌に有効なだけではなくて、「黄色ブドウ球菌以外の細菌に効きすぎない」ことも大切なんです。抗菌薬耐性細菌が増えると、治療薬がなくなってしまいます。あるいは、治療薬があっても副作用の強い薬を使わざるをえなくなります。繰り返しになりますが、「不必要な抗菌薬の投与量を減らすこと」と「標的細菌に対してのみ効果のある抗菌薬を使う」ことが一番大事なことです。

実はこのことは、ＳＤＧｓ（持続可能な開発目標）が掲げる目標にも深く関係しています。SDGsの3番目の目標である「すべての人に健康と福祉を」において、耐性細菌について述べられています。さらに、その他のいくつかの目標にも抗菌薬の耐性が関係しています［図7-4］。

例えば、細菌感染症にかかった人に菌を殺せる薬を投与しなかったとします。その人は必ず死んでしまうかというと、そんなことはありません。栄養状態が良くて元気な人だったら死にはしないでしょう。

では、貧困層の人たちはどうでしょうか。もしも効く薬がなかったとしたら、自分の体力で菌と戦わないといけません。しかし、栄養状態が悪いので、どんどん亡くなっていってしまうわけです。このように耐性細菌の問題は、貧困とも深く関係しているんです。

また、動物への抗菌薬の乱用も問題です。動物も病気になったら抗菌薬で治療をします。

図7-3　ゾーン・エッジ法

AMRとSDGs

病院、製薬企業、畜産業から廃棄される抗生物質が水を汚染している。

AMRは貧困層に過酷な状況をもたらす。
耐性細菌による感染症の治療はとてもお金がかかる。

AMR対策に必要な費用は2050年までに100兆USドルになると予想されている。

耐性細菌が動物に感染すると増加している人口を養うだけの食料生産が難しくなる。

AMRを食い止めるには、抗生物質の使用と開発と温存のバランスがとても重要である。

耐性細菌は私たち全ての健康に重要な影響を及ぼす。

複数の利害関係者たちの連携が必要である。

図7-4　AMRとSDGs

食用の動物への治療薬がなくなったら、食肉や牛乳などの生産などもできなくなってしまいます。今、ワンヘルスという言葉が広まっています。人間だけではなく、家畜など動物も含めたすべての健康を大切にしようという考えかたです。抗菌薬耐性の細菌が増えてくると、人間も動物も皆に影響が出てくるというわけです。

日本でも対策は進んでいます。例えば、大分県は今まで養殖に年間4・3億円を抗菌薬の使用に投じていました。ワクチンなどを含めた対策を実施することで、年間1600万円まで減らすことに成功しました。収穫も減っておらず、この取り組みは2017年に第2回薬剤耐性（AMR）対策普及啓発活動表彰を受けています。

さて、耐性菌の話に戻りましょう。第一次世界大戦を経て、第二次世界大戦では外傷からの黄色ブドウ球菌感染症に対するペニシリンが実用化されました。その後、黄色ブドウ球菌以外の色々な微生物に対する抗菌薬も使われてきました。

歴史的には、ペニシリンは1950年頃から、非常に乱用されてきたことが英語と日本語の文献から分かります。「手術の後に黄色ブドウ球菌のペニシリンをたくさん使っておけば全然感染症が起こらないんだよ」といったような記録があるわけです。つまり、1950年頃にペニシリンは黄色ブドウ球菌にほとんど効かなくなっていたんです。

じゃあ効く薬を開発すればよいじゃないか、という意見があると思います。実は、それはできない事情があります。抗菌薬が効かない細菌を増やさないように気をつけるとしたら、医療現場では必要な人にしか使わないことになります。一方、製薬企業からすると、開発費を回収したいわけですから、どんどん積極的に使ってほしいわけです。このように、企業側と世界的な耐性細菌対策とが相反してしまうことが大きな問題になっています。

今、私たちにすぐにできるのは、今ある抗菌薬を大事にすることで、やはり「抗菌薬乱用をやめる」ことにつきます。

抗菌薬耐性の細菌が生まれる原因には、患者が薬の服用を勝手にやめてしまうことや、医師が処方していないタイミングで勝手に服用を始めることも挙げられます。患者側として気をつけるべきことは、次のようなことです。

- 抗菌薬は処方されたときのみ使用する。
- 調子が良くなっても処方薬は使用しきる。
- 残された抗菌薬は使用しない。
- 他の人に処方された薬は使用しない。
- 手洗いとワクチン接種を行う。

私は大学で研究するほか、大学附属病院でも働いていて、不要な抗菌薬を使用する医師をコントロールするためのチームの一員でもあります。そのチームの取り組みが第2回AMR対策普及啓発活動表彰で「薬剤耐性へらそう！」応援大使賞を受賞しました。将来に向けて今から抗菌薬を温存して、かつ新規の抗菌薬の開発もしたいものです。そして、抗菌薬以外の対抗策の模索もしていくことも未来の社会への鍵となると考えています。

COLUMN by Keiko Gion

　これまでに恩師と慕う人に出会ったことはありますか。実は私には、恩師という人があまりいません。正しくは、「いませんでした」です。それは、若いときの私がとても傲慢だったこともあるのでしょう。いろいろと教えてもらっているという認識はあったのですが、恩を感じることはほとんどありませんでした。何でも一人でできると思っていましたし、何でも一人でやらなくてはならないとも思っていました。誰かの助けを借りなくてはいけないなんて、一人前じゃない！と。

　恩師とは、自分の人生に大きな影響を与える人で、強い絆でつながった師弟関係をもった唯一無二の存在の人なのだとも決めつけていました。師と仰ぐたった一人の人間がこの世の中にはいるのだと思い込んでいました。職人が自分の技術を磨くために、一人の親方について学ぶイメージ。相撲部屋の親方みたいな感じでしょうか。

　しかし、衝撃的なことに、数年前に私の周りにはたくさんの恩師がいることに気づいてしまったのです。1つの相撲部屋にたくさん親方がいるみたいな感じ。それはそれでちょっと暑苦しいかもしれないと思ったりもしましたが、肩の力が抜けていくのを感じました。

08

未来の電気のつくり方

喜多 隆

きた たかし

神戸大学 工学部電気電子工学科
大学院工学研究科電気電子工学専攻

奈良県出身。高校まで奈良で、大学は西宮で過ごす。中学時代の成績はドン底だったが、高校入学前の春休みに転機が訪れる。勉強するとどんな世界が見えるのだろうと数学の教科書を読破。すると、数学の授業が全部分かることに気づく。その他の科目も教科書を読破して、気づけば学年トップとなる。物理好きの少年は、工学部はみんなが行くからと理学部へ進学する。「みんながやっていることはやりたくなくなる」ところは、今の研究姿勢につながる。バイクの音は目隠ししてもメーカーと車種が分かるという研究者は、「バイクも勉強も同じ。攻めれば攻めるだけ結果が出てくるから面白い」と笑顔で語る。王道を歩くことを好まない反骨精神で、未来のエネルギー社会を太陽電池で支えることを目指す。

最初に、ナイトタイムライツ（Nighttime Lights）と呼ばれる夜の明かりの絵を紹介しましょう［図8-1上］。これを見ますと、日本は全体的に非常に明るい。オーストラリアを見ますと、内陸部が暗くて、沿岸部が非常に明るい。ヨーロッパは一様に明るいですけれども、特に地中海周辺が明るいですね。地中海周辺の繁栄を表しています。アメリカを見ますと、東海岸はとても明るくて、比べて西海岸はやや暗いことが分かります。

夜の明かりはすべて電気でまかなわれています。日本ではどれくらいの電気が使われているのでしょうか。日本の電気エネルギーの発電量の推移を見ると、徐々に上がってきて、最近は減少気味であることが分かります［図8-2］。非常に良い傾向ですね。

この推移には、3つのターニングポイントがあります。1つ目のターニングポイントは、1953年の日章丸事件。これはアングロ・イラニアン石油会社とロイヤルティーをめぐって抗争中であったイランに出光の日章丸という船が派遣され、石油を持って帰ってきた事件です。その後、イランの石油が解放されて、日本も石油による発電を開始したのですが、それがこの推移ではよく分かりますね。

次のターニングポイントは、1973年のオイルショックです。これも中東の政情不安が原因でした。これを機に、日本は天然ガスによる発電と原子力による発電を本格的に開始しました。

そして、2011年、東日本大震災によって、日本は原子力発電を一旦やめて、天然ガスでそれを補う施策に移行したわけです。そして、再生可能エネルギーも徐々に増えてきました。電気エネルギーの源になるものは、石炭、石油、天然ガス、あるいは原子力といったように、すべて地球の内部にあるエネルギーを使っています。これらを閉鎖系のエネルギーと言います。

宇宙に目を向けてみましょう。我々には太陽のエネルギーが燦々と降りそそいでいます。このようなエネルギーを開放系のエネルギーと言います。我々はほぼ永遠のエネルギーを手にしていて、それを再生可能エネルギーと呼んでいるわりですね。再生可能エネルギーには、バイオマス、地熱、太陽熱、風力、太陽電池、それから水力などがあります。

バイオマスは人類の最も古いエネルギーと言えます。昔話で「おじいさんは山に柴刈りに……」とあるように、人は昔から植物を燃やしてエネルギーを得ていました。一方で、太陽熱、太陽光、風力、水力といったエネルギーの源は、すべて太陽です。開放系で最大のエネルギーは太陽エネルギーと言えますね。太陽光エネルギーのパワーは、1平方メートルあたり約1キロワット。これが地上

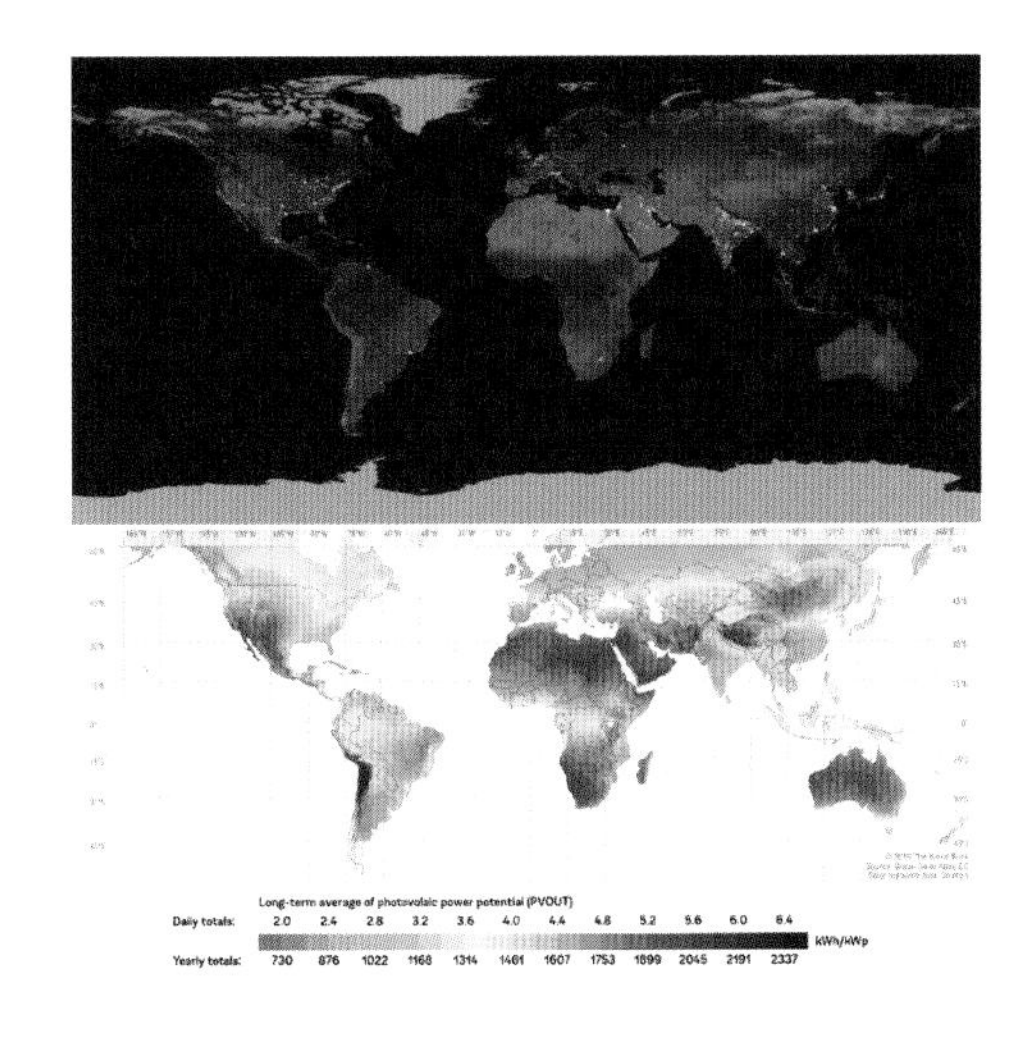

図 8-1　ナイトタイムライツ（上）と世界の日照量（下）

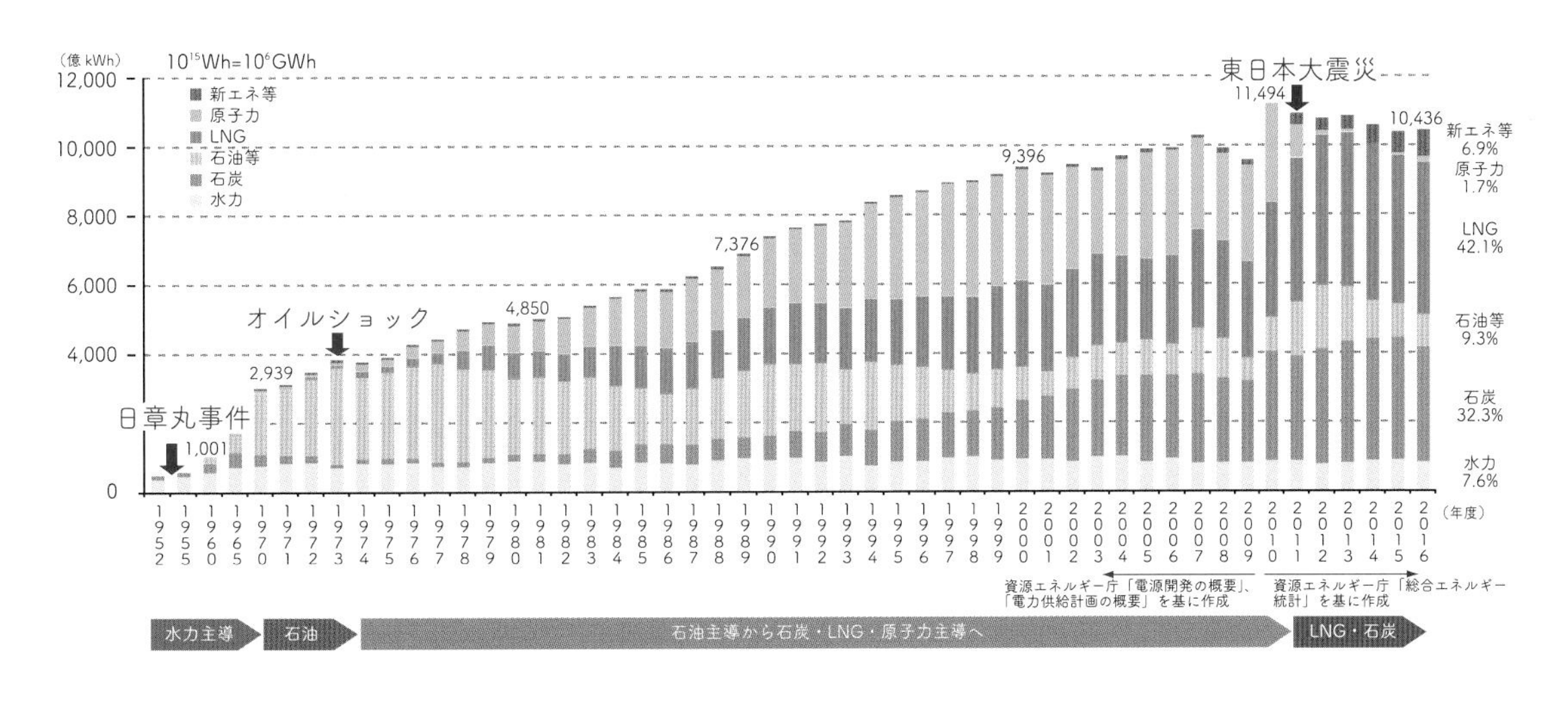

図 8-2　日本の発電電力量

に降りそそぐ太陽光エネルギーの基本です。単純計算すると、太陽光エネルギーの1時間分は、世界が1年間に必要とするエネルギーに相当します。つまり、ある一定の効率の太陽電池を地球の1%に敷き詰めると、我々が必要とする電力をまかなうことができるんです。

太陽電池には他の発電システムと違う大きな特徴があります。水力発電も火力発電も原子力発電もタービンを回して発電しています。ところが、太陽電池は動かない。音もなく発電するユニークなシステムです。そのうえ、メガソーラーと言われる大きな施設から住宅、車、あるいは人工衛星、腕時計など、大規模集中から小規模分散まで広く対応できるのも特徴的です。

次にコストを考えてみましょう。福島第二原子力発電所を例に挙げるなら、原子力発電所を1基つくるには3000億円が必要です。大体1基で1000メガワットの出力ですから、メガソーラーでは同じ量を発電するのに1000基が必要です。1基のメガソーラーをつくるには約2・5億円かかりますから、1000基だと、2500億円かかるわけです。不思議なことに、あまりコストは変わらないですよね。

さて、〔図8-3〕は、ある日の電気の使いかたを示しています。朝起きてから電力需要が大きくなり、夜になったら減っていきます。緑の部分が太陽光発電によってまかなわれています。発電出力は、曇ると減り、晴れると上がるので乱高下します。それを補助するのがバックアップ電源です。これにはレスポンスの速い発電システムが必要で、天然ガスや石油による発電でまかなわれます。これらは二酸化炭素を大量に放出する発電方法です。

また、ベースロード電源というものがあります。これはあまり急激に変化させることができない発電システムでまかなわれています。原子力や水力、石炭、火力などが利用されています。つまり、太陽光発電をあまりにも過激に利用すると、出力の大きなバックアップ電源が必要になってしまって、極端に言うとベースロード電源を押しつぶしてしまうことになるわけです。

【図8-4】は、CO_2の排出量に関するデータです。フランスは非常に少ないのですが、原子力を80%ぐらい利用しているからに他なりません。一方、ドイツは再生可能エネルギー先進国です。そのドイツでさえフランスより1桁多いCO_2を排出しています。ドイツは比較的原子力を使わない方針の国ですから、ベースロード電源が原子力ではなくて石炭火力であったり、バックアップ電源が天然ガスでまかなわれていたりするためです。

日本では、再生可能エネルギーの出力ベースはドイツとほとんど同じですが、実際には稼働していなくて4%です。おまけに今は原子力も止まっていますから、二酸化炭素の放出量は非常に大きいわけです。言い換えるなら、再生可能エネルギーの導入を促進すれば

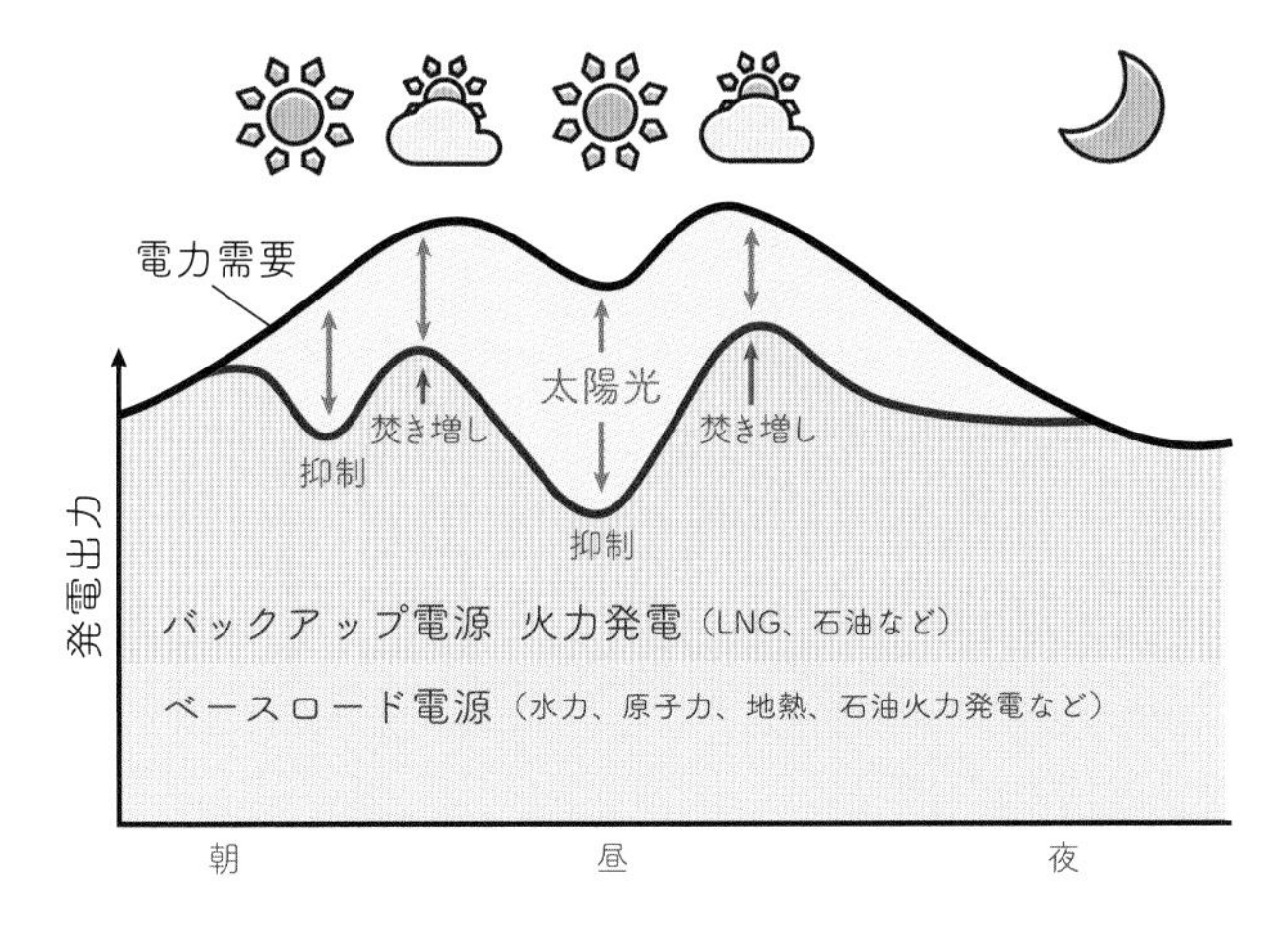

図8-3　1日の発電量

	フランス	EU平均	ドイツ	日本
CO_2排出係数（g/kWh）	46	311	450	540
再生可能エネルギー割合（%）	5	13	18	4
原子力割合（%）	78	27	14	1

図8-4　各国のCO_2排出量とエネルギー

するほど、CO_2の排出を促してしまうのです。

では、どうすれば良いのでしょうか。電気をためればいいんです。過剰につくった電気を「ためる」ことが大切です。今日の話では、2つのキーワードがあります。1つ目が「ためる」です。世界各地の日照量とナイトタイムライツを比べてみましょう［図8-1］。アフリカ北部のように日照量の多い地域にはあまり人が住んでないことが分かります。アメリカを見ると、西海岸の方が日照量は多いけれども、人がより多く住んでいるのは東海岸です。「電気を必要とする人が住んでいる場所と、電気をつくるのに適している場所は違う」ということです。

我々は最適な場所でつくった電気を、人が住んでいる場所に運ばねばなりません。これが2つ目のキーワード「運ぶ」です。［図8-5］は、アメリカのベル研究所がシリコン電池を発明した際に発表した市民向け広告です。ある家族がシリコン太陽電池のパネルを指さして、何か未来を語っている様子です。私はこの写真にバッテリーが写っていることにとても驚きました。当時から電気を「ためる」ことをちゃんと意識していたんですね。

我々は1日に1世帯あたり約15キロワットアワーの電気を使います。15キロワットアワーとは、1キロワットの電気機器を15時間動かす程度の電気のことです。

さて、市販されている蓄電池の容量が約5キロワットから10キロワットです。100〜200万円くらいします。最近の電気自動車は40キロワットアワーぐらいの蓄電池を搭載しているのに300万円ぐらいから売られています。丸2日分の電気を車にためられて、移動もできるなんてすごいですね。

水素を使って電気を運ぶ方法もあります。水素は水を電気分解するとつくれます。この効率は、残念ながら約80%です。例えば、効率20%の太陽電池を持ってくると、16%の効率で水素をつくれるわけです。そして、水素を運んでもう　度電気にする効率は50%程度なので、最終的な効率は8%になるわけですね。もしも50%の太陽電池が実現できたら、水素にためても20%で電気を生むことができますし、世界中のどこにでも運ぶことができます。例えば、オーストラリアとアフリカに太陽光発電の拠点があると、24時間どこかで20%の効率で電気を生み出すことができるようになります。世界最高性能の太陽電池の変換効率は、47・1%（2020年10月現在）です。ドイツのフラウンホーファー研究機構によるものです。私が参加した国家プロジェクトではシャープが非常に高水準な44・4%を達成しました。現在、誰も50%を突破していません。

世界中で、私も含めて50%を突破しようとしのぎを削っています。そんな高効率の太陽電池ができたら、水素と一緒に、きっと新しいエネルギー社会がやってきます。遠くない未来に実現したいものです！

図 8-5　ベル研究所によるシリコン太陽電池の広告（1954年）

COLUMN by Keiko Gion

生き物は基本的に外からエネルギーを得て、生命活動をおこないます。私たちヒトも、口から物を食べて、消化して、そこから吸収したエネルギーを使って、友達としゃべったり、動画を見たり、そしてまた物を食べたりできるのです。食べ物に含まれているエネルギーは「カロリー」という単位で表します。

最近ではゼロカロリーの食べ物もたくさん登場して、エネルギーを取ることを避ける人が増えました。生き物には生きていく上で最低限必要なエネルギー量がありますが、摂取可能なエネルギー量の上限もあるように思います。ただ、動画サイトで華奢な女の子が5kgものから揚げやパンケーキをぺろりと平らげるさまや、体重400kgにまで太ってしまった人をテレビ番組で見ると、ヒトはどれくらいまでエネルギー量を取ることができるのか分からなくなってしまいますが。

体の中に取り込まれたエネルギーは、もともとから揚げのエネルギーなのか、パンケーキのエネルギーなのかは分からなくなります。何のエネルギーなのか分からなくても、活動の出来や効率が変わることはなく、エネルギーはエネルギーです。けれど、やっぱり、から揚げとパンケーキが無性に食べたくなってきました。

09

進化する天気の科学

梶川 義幸

かじかわ よしゆき

理化学研究所 計算科学研究センター

神戸大学 都市安全研究センター

埼玉県生まれ。幼少期から高校までを千葉で過ごす。その後、つくば、名古屋、ハワイ、再び名古屋と移り住むが、なぜか鉄道が通って便利になると引っ越してしまうという鉄道に縁のない研究者。現在は、JR、阪急、阪神と鉄道が3つもある便利な神戸に住み、電車通勤を楽しんでいる。小学生時代は大の読書家で、推理小説に熱中。中学生からは天気図を書きはじめ、中学3年生の夏休みの宿題で毎日ラジオを聞いて書いた天気図が賞に選ばれる。ただし、その他の宿題は提出しなかったらしい。大学から現在まで推理小説のごとく気象気候学の謎解きに取り組む日々を送っている。この気象気候学の名探偵は、研究を通じて経験の延長線上にない未来社会を見据えている。

皆さんがこれを読んでいる今、外は晴れていますか、それとも雨が降っているでしょうか？　私たちが住む都市は、天気に大きく影響されています。雨が降ったり、カンカン照りになったり、ときには台風もやってきます。天気といわれているものの変動がとても大きくなると、台風や洪水のように私たちの生活に災害をもたらすかもしれませんし、暖かな晴れの日が長く続くと、冷たいビールの売れ行きが上がるかもしれません。私たちの生活は天気、気象、気候に影響されているわけですね。

では、未来の気象と気候について考えてみましょう。例えば、１００年後の今日の天気を当てることができるでしょうか。当たりません。私たちが日常的に天気と呼んでいるのは「気象」といいます。気象は短い時間でせわしなく変動しているものととらえ、「気候」は平均的な状態と考えます。１００年後の気象を予想するのは難しいですね。しかし、気候の将来像は、ある程度予測することが可能です。

さて、気象と気候の研究は主に3つで成り立っています。

1つ目は理論です。どんな物理法則で気象や気候が成り立っているのか考えることです。

2つ目は観測です。風船に温度計や湿度計をつけて空に上げて測ったり、人工衛星を使って地表面の状態を見たりします。

最後の1つは、数値シミュレーションです。工学部や理学部の人だと、理論を組み立てたものを実験によって確かめます。しかし、私たちの研究では、住んでいる都市をいじったり、それから地球をいじったりできませんよね。その代わりに、コンピューターのなかに地球や私たちが住む都市域を再現させて、天気の変動を調べます。これを数値シミュレーションといいます。具体的には、まず、調べたいと思う領域を格子点に区切ります。その格子点の1点ずつに気温や気圧、風の情報などを入れます［図9-1］。そして、将来の天気を予測するため、物理法則に基づいて、時間方向に計算します。

計算して得られるものを総合すると、未来の天気図ができあがります。この計算を数値シミュレーションというわけです。そして、数値シミュレーションの前は、これを手で計算していたんです。

　1900年代前半に活躍したルイス・フライ・リチャードソンという人がいました。リチャードソンは、物理法則に基づいて計算すれば、天気を予測できるのではないかと考えました。しかし、1人で計算に挑戦すると、6時間の天気予報をするのに1ヶ月もかかってしまい、予報にならなかったんです。

　そこで、彼は自分と同じように計算できる人が6万人以上いて、ある指揮者のもとで皆が同じだけ同じように計算したら、天気を予報できるのではないかと考えました。これが数値シミュレーションに基づく天気予報の考えかたの始まりです。

　1940年代になると、世界最初期のコンピューターが登場します。コンピューターが「計算する人」に代わるわけです。計算能力が発達していくと、天気予報がだんだん可能になってきました。

　私が勤めている理化学研究所の計算科学研究機構では、「京（けい）」というコンピューターが動いています（2018年当時）。コンピューターが発達することによって、数値シミュレーションもどんどん発達します。コンピューターの発達は、大きく分けて3つの良いことをもたらしてくれます。

　1つは、モデルのコンポーネント（部品）が増えることです。最初のころは、大気だけを予測していましたが、そこに

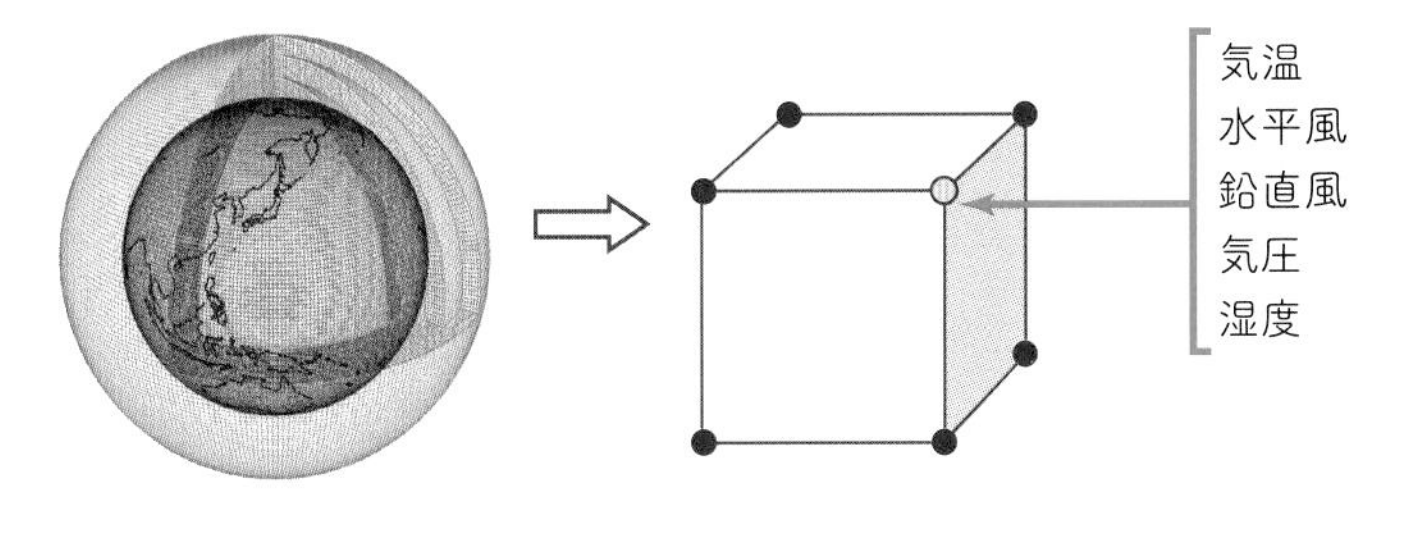

図 9-1　格子分割と各格子の情報入力

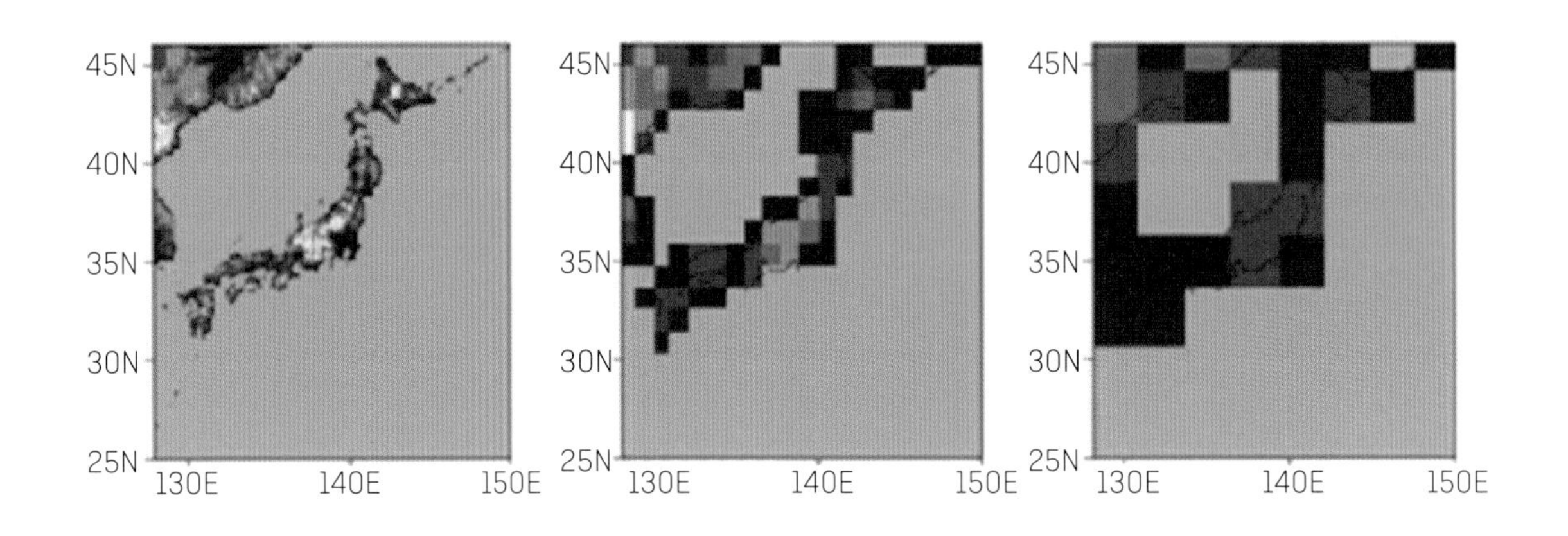

図 9-2　シミュレーションモデルの解像度

海や氷河、砂漠、地形を加えていくことができるようになっていきます。きっと今後は、詳細な人間の活動なども入れていくことができるようになるでしょう。

もう1つは、モデルの計算が速くなることです。計算が速くなると、同じ時間でたくさん計算できます。「初期値」というものをちょっとずらして、何回も計算しますと、ばらついた結果が出てきます。それを平均して確からしい予報をしようというわけです。これをアンサンブル計算といいます。

10年前までは、ある空間解像度でやっと1ケースできたというようなシミュレーションが、京コンピューターでは数十回できます。数十回できると、変動やばらつき、平均構造といったものが、より確からしく分かってくるんです。

最後の1つは、モデルの解像度が上がることです。解像度というのは、さっきの格子点の間隔のことです。モデルの解像度が上がっていくと、ちゃんと一つひとつの地形、それから都市、いろんなものが解像できるようになっていきます

［図9-2］。

これまで地球全体のシミュレーションにおいては、大体10～100㎞といった解像度でシミュレーションしていました。今は1～10㎞くらいの解像度で地球全部をシミュレーションできる時代になりました。

1～10㎞の解像度だと何ができるのでしょうか。例えば、積乱雲を解像できるようになります。100㎞四方の解像度だと、1つの格子の中に複数の雲があって、雲そのものを直接表現することができません。格子点の間隔が細かくなってくると、雲をきちっと一つひとつ表現できるようになります［図9-3］。京コンピューターでは、水平解像度をおよそ870mまで高めることができました。これまで3・5㎞くらいの解像度で表していた台風も、一つひとつの積乱雲をきれいに再現できるようになりました［図9-4］。

このように高度に発達した数値シミュレーションを用いると、気候科学研究は今後どうなっていくのでしょうか。100年後の今日の天気は依然分かりません。しかし、大雨がどのくらいの頻度で降るのか、大雨の降る確率はどのくらいなのか、都市の最高気温はどうなるのかといったことはある程度分かるようになるでしょう。

図9-3　格子点間隔と雲の解像

私が特に注目しているのは、都市の気候にも大事な「季節の進行」です。季節の進行がちょっと変わると、例えば夏の始まりが早くなると、春はとても暑くなります。季節の進行が1ヶ月早まるだけで、その月の気温は大きく変わります。同様に季節の進行そのものがどのように変わっていくのかも、四季に恵まれている日本ではとても大切なことです。モデルの計算を繰り返すことで、そこで生じるエラーや不確実性を予測し、減らしていくこともできます。

これから都市のあり方も変わっていきます。都市の状態が変わったら、気候はどう変わるのでしょうか。都市のあり方を考えるとともに、気候への都市の影響もきちんと評価する必要がある時代を迎えようとしています。

図 9-4　従来の最高解像度と京による 1km 未満の格子間隔でシミュレートされた台風

COLUMN

by Keiko Gion

大学の教授には、恋愛小説よりも断然、推理小説派だという人は多いです。職業病の一面もあるかもしれませんが、謎解きが大好きな人がたくさんいます。ただ、答えが1つなのかどうか分からない難解な謎も世の中にはたくさん山のようにあります。たとえば、シマウマはなぜあのように縞々なのか？　謎です。動物界きってのアバンギャルドな姿。あれはたぶん、おしゃれのためなのだと思ってしまいます。一般的にシマウマの縞々は、ライオンなどの捕食者から身を守るため、周りの草木と同化して見えにくくするためであると考えられているのではないでしょうか。

けれども、他にも説があります。ある研究者は、シマウマの縞々の黒色が太陽で温められて、隣の白色と温度差ができることで空気の対流ができて、体温調節をしていると言っています。別の研究者は、ブユ（吸血昆虫の一種）は縞々が嫌いで寄ってこなくなるので縞々にしていると言っています。どの説も実験をして検証した結果、正しいだろうとされている説です。果たして真実はどれなのでしょうか。たぶん、シマウマも自分の縞々の真実を知らないのだろうな。それでも、大学の教授は知りたくて知りたくて毎日謎解きをしています。

第 4 章

コミュニケーションと社会

Communication and Society

10

人の行動を導く天気予報

大石 哲

おおいし さとる

神戸大学 都市安全研究センター
理化学研究所 計算科学研究センター

静岡県出身。高校時代まで静岡で暮らす。足が速く、短距離も長距離もこなし、高校時代は駅伝選手であった。東海地震の関係で、地震に敏感であり、防災意識が高く、子どもの頃から防災に関心があったという。水害の研究者を目指し、大学へ進学する。大学の原理原則を言わずに解きかただけを教えるという教えかたには馴染まなかったが、水文学の研究の楽しさにはまってしまう。専門はレーダー水文学。レーダーから得られるビッグデータと数値シミュレーションを巧みに操り高精度な気象予測を行う。単身赴任で今でも奥さんに毎日電話するという愛妻家の彼は、「未来の気象予測では、受取手に価値を与えるような情報提供が大切」というコミュニケーションを大切にする人間中心の気象学者である。

１９８５年に公開された映画『バック・トゥ・ザ・フューチャー』では、30年後、つまり２０１５年の天気予報が描かれています。登場人物のドクがこんなふうに言うんです。

「お、雨だ。今日の天気予報を見ると、あと5秒でやむぞ。4、3、2、1、0……。ほら、もうやんだじゃないか。これが２０１５年の天気予報だよ」

今、こんなふうな世の中になっているでしょうか。なっていませんよね。ドクは5秒先の天気を分かったところで何が良かったのでしょうか。あまり良いことはなかったかもしれませんよね。これが今からお話しすることと関係してきます。

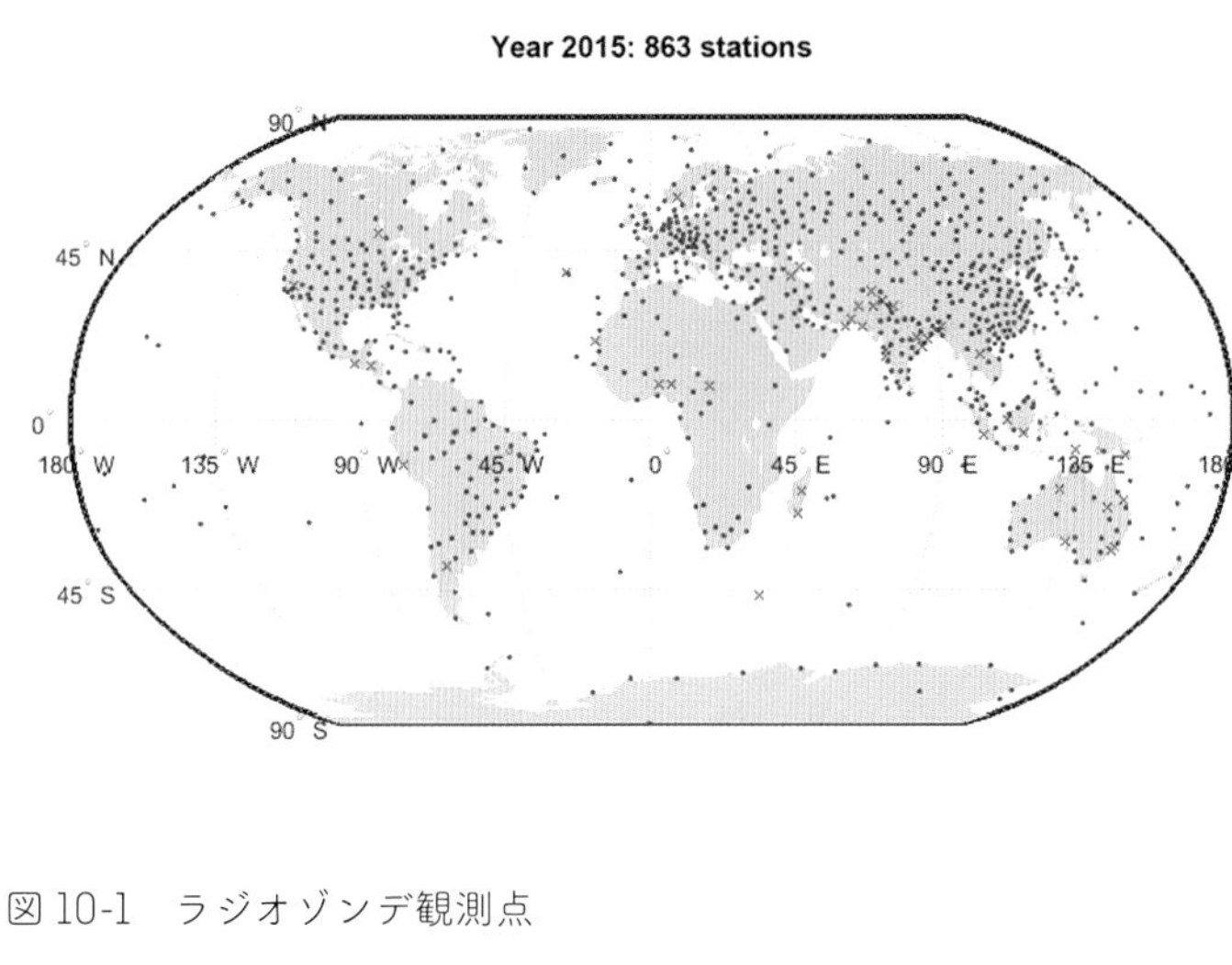

図 10-1　ラジオゾンデ観測点

さて、今日、明日、明後日の天気予報で最も重要なのは観測してデータを得ることです。ラジオゾンデ観測といって、風船を空に上げて気温、気圧、湿度、風向、風速といったデータを取ります。これを1日2回、世界中でやっているわけです。世界中では約１０００点、日本では16点で、1日2回、25高度、6要素で実行されると、世界では1日あたり約30万、日本では1日に約５０００のデータが得られます［図10-1］。このように気象学はビッグデータの取り扱いに慣れている学問です。

１９４４年からこのような大きなデータを扱ってきたわけですが、昔の非常に遅い通信網では、「トンツートントントントン」とモールス信号で送られていました。1980年代、パソコン通信の時代になっても、今のようなギガバイトの通信速度は実現されていませんでした。

気象庁は1年に約6億円をかけて膨大な気象データを得ています。そこから得られている価値は、予算の約10倍といわれています。アメリカにおいてもあらゆる行政機関のなかで、気象関係の機関が後から最も高い効果を生むという意見もあります。気象情報は航空管制、電車の運行、船舶、農業、商業、配送、そういったものすべてに関わっているんです。

日本政府は公共情報コモンズというプラットフォームで気象情報を皆さんに活用してもらおうとしています。しかし、地上波デジタル放送、FM放送、AM放送、デジタルサイネージ、CATV、インターネット……。いっぱいあり過ぎて、どれを使ってよいのか分からないのではないでしょうか。今の天気予報を皆さんが活用しづらいのには理由がありそうです。

まず、上から目線の問題。例えば、車に乗ってラジオを聴いているとします。ラジオから今日の占いが流れてきたときと、天気予報が流れてきたとき、どちらに注目するでしょうか。多くの方が今日の占いのほうに注目するんじゃないかと思います。天気予報では、「今夜の兵庫県は梅雨前線や湿った空気の影響で次第に雨となり、雷を伴って激しく降るところがありそうです」といったように、非常に正確に、場所、理由、起こる現象、そしてその期待の大きさを表してくれています。

一方、占いでは、「今日のあなたは……」と言ってくれます。天気予報の主語は、「今夜の兵庫県」ですが、占いの主語は「今日のあなた」ですね。どちらが人の心に響くかというと、やっぱり「今日のあなたは」のほうなんです。天気予報はいわば圧倒的な上から目線。これが天気予報の最大の問題ではないかと思います。

もう1つの問題は、情報の洪水です。災害時など、天気予報が必要に迫られるとき、死者、行方不明者、注意報、警報、今日や明日の予報……、多くの情報のなかで混乱してしまうことが考えられます。

そこで、未来の天気予報のあり方について考えてみましょう。交通工学などで先進的に研究が行われているように、「適切な導き」が大切と考えています。出発地から目的地まで行くときに、渋滞がある道とない道があるとします。人は渋滞であってもより近回りの道を選んでしまいがちなので、ETC2・0で渋滞がない道の料金を割り引きすることで渋滞のない道を通らせる施策が一部では実際に行われています。料金割引というインセンティブに導かれて、渋滞の緩和も早くなるでしょう。これを豪雨の際にも適用すれば、事故率や渋滞率も下がり、適切な交通制御が期待できます。

例えば、カーナビが「阪神高速湾岸線は豪雨が近づいているため、第二名神高速の料金が値下げされています。迂回をおすすめします」と言ってくれるのはどうでしょうか。このような機能を実現するためには、4つの基本的なテクノロジーが必要です。

1つ目は正確な豪雨予測、2つ目は適切なプライシング（値付け）、3つ目は理由に基づく推論、4つ目はサジェスチョンダイアローグです。

まず、正確な豪雨予測はある程度できるようになっています。今から20分先まで、どの程度の雨が降るか、おおよそ分かります。理化学研究所計算科学研究センターでは、予測を6時間先まで延ばそうと研究しています。プライシングは、交通工学の分野では先行的に実施されていて、もう実現できたと言ってもよいでしょう。ゲーム理論などを使って、適切なプライシングが行われています。

3つ目の理由に基づく推論。これはディープラーニングの先にあるものです。コンピュータープログラムの「AlphaGo」が囲碁の世界チャンピオンに勝っても、世界チャンピオンに、「あなたのこの手が敗着でした」とは言ってくれません。それを言ってくれるような人工知能が必要になります。オントロジーという、概念と概念間の関係のセットをうまく表現する必要があるのですが、これも近い将来に実現の目処が立っています。

これら3つの技術が達成されたときに、サジェスチョンダイアローグというものを提案したいのです。カーナビが渋滞を迂回する道順を提案してくれるとします。すると、それに対して、私のスマホが文句を言うわけです。「過去の統計が示唆するところによりますと、カーナビが迂回を示唆したときには、実際に時間短縮される可能性は33%、されない可能性が33%、到着までより時間がかかってしまう可能性が33%もあります」

一方で、カーナビも負けていません。「私の示唆に従うと、33%しか損をしません」

スマホはスケジュールを把握しているので、さらにこんなふうに返します。「豪雨の予測確率が低いので、迂回しない可能性も残しましょう。急いで神戸に帰る必要はないので、迂回によるガソリン代の増加を懸念します」

カーナビはそれに対して、「それなら、吹田サービスエリアは混んでいるでしょうから、桂川パーキングエリアで休憩しながら様子を見るのはどうでしょうか」と推論するかもしれませんね。1つの脳ではなく、目的関数を持った複数の独立した脳があると、互いにやりとりをし合って、人を最適な方向に導いてくれるわけです。これが「適切な導き」と呼んでいたものです。

こんな世界は、机の引き出しから青いネコ型ロボットがやってくる物語に似ていませんか。私はあの青いネコ型ロボットに全国の市長さんを助けてほしいのです。市長さんは災害対策基本法において、住民に避難勧告を出す役割を背負っています。例えば、市長さんが［図10-2］を見たとします。この図の青い点は土砂災害が発生しそうな箇所を、赤い点は過去に実際に起こった箇所を示しています。「青が2万箇所、赤は1箇所だから、土砂災害は2万分の1の確率でしかない。じゃあ、今からパーティーに行ってくるよ」と言って市長さんに出かけられてしまっては困ります。そういうときに、青いネコ型ロボットでなくても、スマホがこの図の情報を適切に市長さんに伝えてほしいのです。

例えば、「今日は全市のどこかで土砂災害が発生する可能性がほぼ100%です。パーティー参加はお断りしたほうがよいのではないでしょうか」と伝えてくれる。さらに、「パーティーに参加している最中に土砂災害が発生してしまったら、信用を失いますよ。再選可能性はぐっと下がります」と市長さんの弱いところを突いてくる。とどめに「災害を適切に切り抜けた首長の再選確率は80％です。ニューヨークのジュリアーニ市長は9・11アメリカ同時多発テロの後、適切な対処を行ったことで、その後、大統領選にまで出馬しました」と言われると、市長さんは残って執務せざるを得なくなりますね。こんなふうな世界になってほしいなと私は思います。

いつか「適切な導き」をしてくれる天気予報をつくりたいものです。

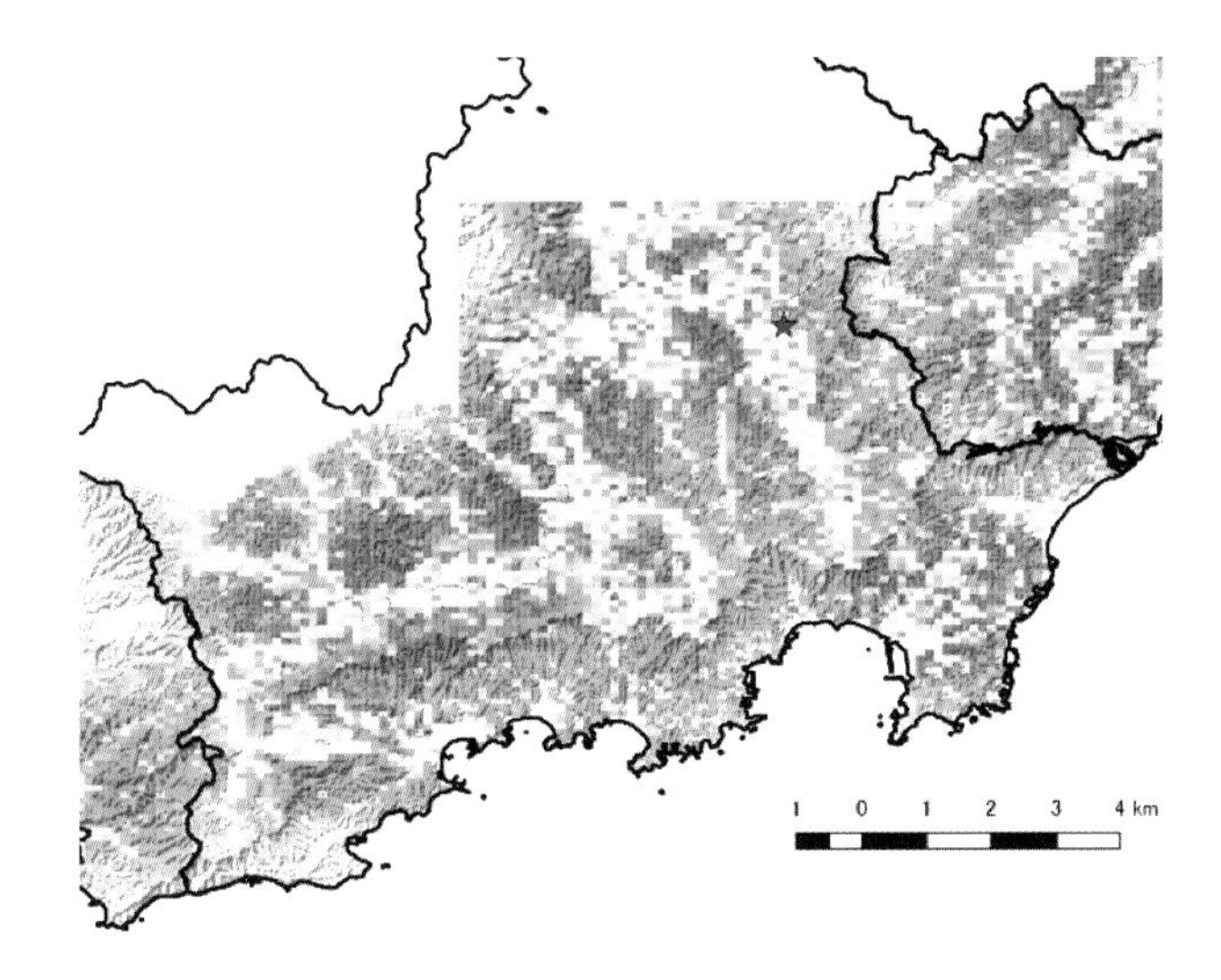

図10-2　土砂災害ハザードマップの例

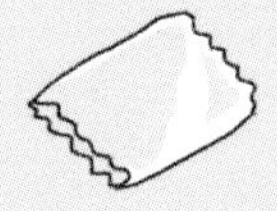

COLUMN

by Keiko Gion

「ねぇ、ちょっと、それ」「え、これ？」「それ！」「これ？」「そう、それそれ」

最近、私が友だちとした対話（ダイアローグ）です。厳密にはダイアローグとは言わないかもしれませんが。しかしながら、このダイアローグで意味が通じる私たちってすごいと思ってしまいます。「つうと言えばかあ」は、究極のコミュニケーション能力かもしれません。このやり取りで意味が通じるようになるには、これまでの経験から得られる情報を分析して、その情報をもとにした推論が必要になります。

昨日、食卓に神戸の老舗焼菓子屋のハートパイが入った箱が置いてあったので、「あ、おかあさんが一番に見つけて食べるだろうな」と思いました。だって、このハートパイ、おかあさんの大好物だもの。けれども、本当におかあさんが一番にパイを食べるかどうかは分かりません。これまでの経験からおかあさんはパイが大好きで、その上、目が早いから、すぐに見つけて食べるだろうと推論しただけです。そこに正しい、正しくないという判断は特にありません。未来には正解はなく、可能性があるだけなのかもしれないと思いながら、私が食卓のハートパイを一番にいただくことにしました。

11

アリから教わる社会のあり方

尾崎 まみこ

おざき まみこ

神戸大学 名誉教授
元理学部生物学科教授

兵庫県宝塚出身。小学生時代は忍者に憧れる。自分も水の上を歩きたいと思っていた。可愛いと思った昆虫を連れて帰るのもこの頃から。動物生理学を学びたくて大学へ進学するも、植物の研究室しかなくて、愕然とする。しかし、切り替えが早く、自主的に同級生と読書会をしたり、夏休みに物理化学の先生のところに押しかけて勉強したりする。植物に興味がなかった理由は、「動かないから何を考えているか全然推測できない」だからだそう。「シグナル伝達物質を出すよりも受け取るほうに興味がある。どう解釈するか、どう行動に表すか、どこで決心するかが面白い」と話す彼女には、アリのコミュニケーションの内容が分かってしまうようだ。退職してもまだ、彼女の匂いと行動への興味は尽きない。

私は生物学者です。アリを研究しています。今日は未来の都市についての話なのですが、アリと都市に一体どんな関係があるんだろうって思いますよね。

アリは社会性の動物です。持続可能で発展的な社会をつくって暮らしています。ですから、環境に適応してうまくやっているアリに、人間も学ぶところがたくさんあるんじゃないかな。地球の上で動物も植物も、長い時間をかけて進化しながらバランスを取って生きてきたと思っていたら、人間がそんな自然界のバランスを崩しはじめている。

では、アリたちはどのように他の生き物たちとうまくやっているのでしょう。例えば、クロオオアリという種類のアリはクロシジミというチョウとうまくやっています［図11-1］。クロシジミのお母さんは、自分で子育てをしません。なんと、アリに子育てを託すのです。［図11-2］では、働きアリが卵や幼虫やサナギを世話している巣に、モンスターみたいな大きい虫がいますよね。これがクロシジミの幼虫なのです。アリはこの異種の幼虫をチョウになる直前まで、つまりサナギが羽化するまで養ってあげます。

なぜこんなことをするのでしょうね。春から秋にかけてアリは外で活動して餌を採ることができます。でも、冬が来てまた春になるまでは地面の下で雪や寒さを避けています。その間、蓄えておいた餌を食べて過ごすのですが、クロシジミの幼虫を1匹飼っておくと、お尻からおいしい蜜を出してくれるんです。しかも、クロシジミは子育てを助けてくれるクロオオアリが何をおいしいと感じるかを知っていて、このアリ種に特有の好みに合わせた糖とアミノ酸のカクテルを蜜として分泌するように進化しているのです。

クロシジミとクロオオアリの関係には他にもおもしろい話があります。クロシジミの幼虫はアリの巣の中で育てられるわけですが、同じ巣の中にはアリの王子様がいます。一生に一度だけ結婚飛行をして死んでいく雄アリです。この王子様は巣の中ではぐうたらで何もしません。「僕は王子だ、世話をしてくれ」と威張っています。なんとクロシジミは、その王子様になりすますのです。暗い巣の中で王子様の匂いを出して働きアリたちから王子様待遇の世話をうけています。この知恵も進化のたまものです。

アリは違う動物種だけじゃなくて、植物とも協力しています。カタクリという植物とアリの関係についてお話ししましょう。早春になるとカタクリ祭りがいろいろな所で開かれるぐらい、一面に咲くカタクリはとても美しいですね。カタクリは種から育てると、1年では花が咲きません。7~8年目にやっと花を咲かせて実（み）をつけます。この大切な実の中にある種は二部式になっています。半分には植物がそこから芽生えて成長するための仕組みが入っています。あとの半分は、アリが大好きな餌になっています。カタクリの実が落ち、種がこぼれるとアリがやってきて、一生懸命巣に運び込みます〔図11-3〕。そして、おいしい部分だけ、つまり種の半分だけを食べるんです。

蓄えておけば冬の食料にもなります。残り半分は、アリにとってはおいしくないので捨てに行きます。アリはきれい好きで、巣の中にゴミをためません。ちゃんと外に捨てに行くのです。アリはゴミを捨てているつもりでも、カタクリからしてみれば種をまいてもらっていることになりますね。そして、種がまかれたところが花畑になり、実がなれば、アリはまた種を収穫できます。アリと助け合う、歩けない植物の賢い工夫です。

図11-1　クロシジミの成虫

図11-2　クロシジミの幼虫とアリ

図11-3　カタクリの実とアリ

アリに限らず、こういうふうな持ちつ持たれつの関係が地球の隅々で築かれています。人間も見習いたいものですね。

最初にアリは社会性の動物と紹介しましたが、大所帯の家族で社会を維持していくために、アリはどんな工夫をしているのでしょうか。敵が巣の中に入ってきて乗っ取られないように、敵か味方かを瞬時に見極める必要があります。アリ同士の協力社会の大事なポイントになる敵味方識別の話をしましょう。

ブラジルのコーヒー農園を訪れたときに、ハキリアリがつくる行列に遭遇したことがあります。小さなアリがひと噛みずつ噛み切った葉を持って帰るために、ものすごい長さの行列をつくります。行くアリもいれば帰るアリもいるのに、ちゃんと衝突せず喧嘩もせずに列を乱すことはありません。

働きアリは家族（巣）ごとに違う匂いを持っています。アリ同士が出会ったときには、鼻のように触角を使ってお互いの匂いを嗅ぎます。相手の匂いが自分と違うときには敵と認識します。しかし、むやみに喧嘩をしかけることはなく、外で出会うと仁義を切って互いに共存していきます。なかには、喧嘩っ早い種類もいますが、基本的には他種や他巣の家族とも共存ができるんです。

触角の匂いのセンサーを電子顕微鏡で見ると、小さな突起に見えます［図11-4］。1つの突起に匂いを感じとる受容神経が100種類ほど格納されています。このセンサーは飲酒運転の取り締まりに使うアルコールセンサーやガス漏れセンサーのように単一の成分の匂いを感度良く検知するのではなくて、匂いを構成する成分の混合パターンを区別できるというわけです。例えば、ユリの匂い、バラの匂い、別々のアリの家族の匂いといった100種類のセンサー素子を使えば少なくとも100種類の成分でできた匂いを判別できるように複雑な匂いが分かります。最近は人間もこのようなセンサーを開発しようとしていますが、アリの社会や生態をよく観察してみると、なんだか人間社会のヒントになるようなことがたくさんあるのではないでしょうか。それでは、続いて人間社会とアリ社会の共存についてもお話ししたいと思います。

　ヒアリというアリがいます。私は台湾を訪れたときに出会いました。日本でも話題になりましたね。ヒアリはアリ塚をつくって暮らしています。台湾では古くなった建物が壊されて、新しい建物がどんどん建設されています。建物が壊されると、都市のあちこちにパッチワーク状に空き地ができます。空き地ができたら、そこにどんどんアリ塚ができるんです。このアリ塚は、もうみる間に広がります。各塚に10万匹ぐらい住んでいるそうですから、巣を踏んだ日には人間もただでは済みません。ヒアリに噛まれたら、相性が悪いと、アナフィラキシーショックで亡くなる場合があります。アナフィラキシーショックでなくても、アリ塚を踏み抜くと１００や２００の噛み傷では済みません。それが半年ぐらいうずくので、やはり日本に来てほしくないと思います。そこで私はなんとかヒアリと人間との折り合いをつけたいと考えるようになりました。

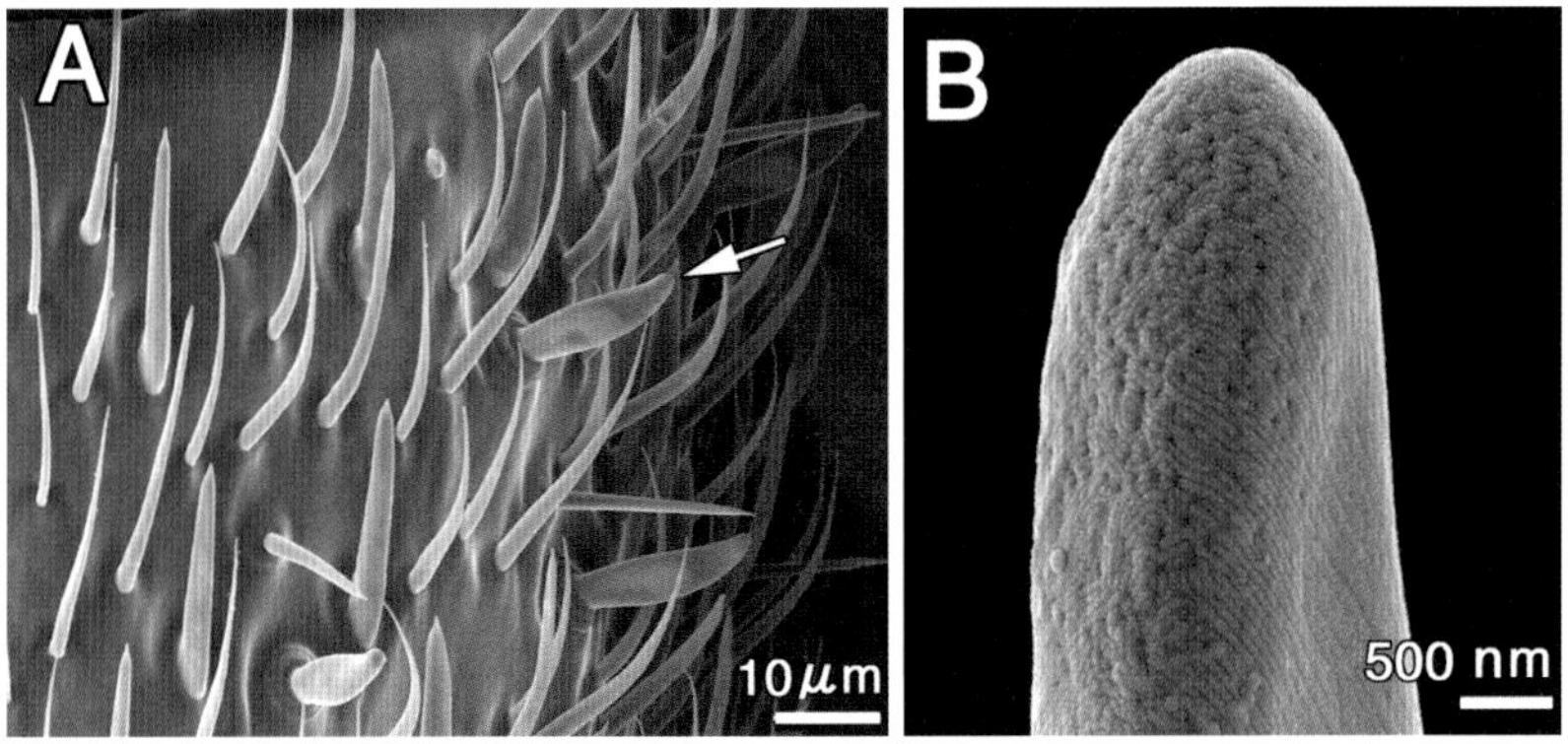

　殺虫剤を使っても、台湾のヒアリの例を見ているかぎり根絶は不可能に思えます。増殖速度を抑えることも不可能と聞いています。それに長期的にみれば遅効性の殺虫剤に頼るのは恐ろしいことです。アリが巣に持って帰ってから効く遅効性の毒によってアリが全滅した後、土壌には毒が残ります。その毒が水系に入ったら、さらに大変なことになります。毒を使うのなら短期決戦で絶滅さ

図11-4　アリの触角

せるつもりで使うのですが、それが無理であれば、忌避剤を使う手があります。人間とアリの生活圏の境に忌避剤を使い、安全な住み分けをしていくのです。

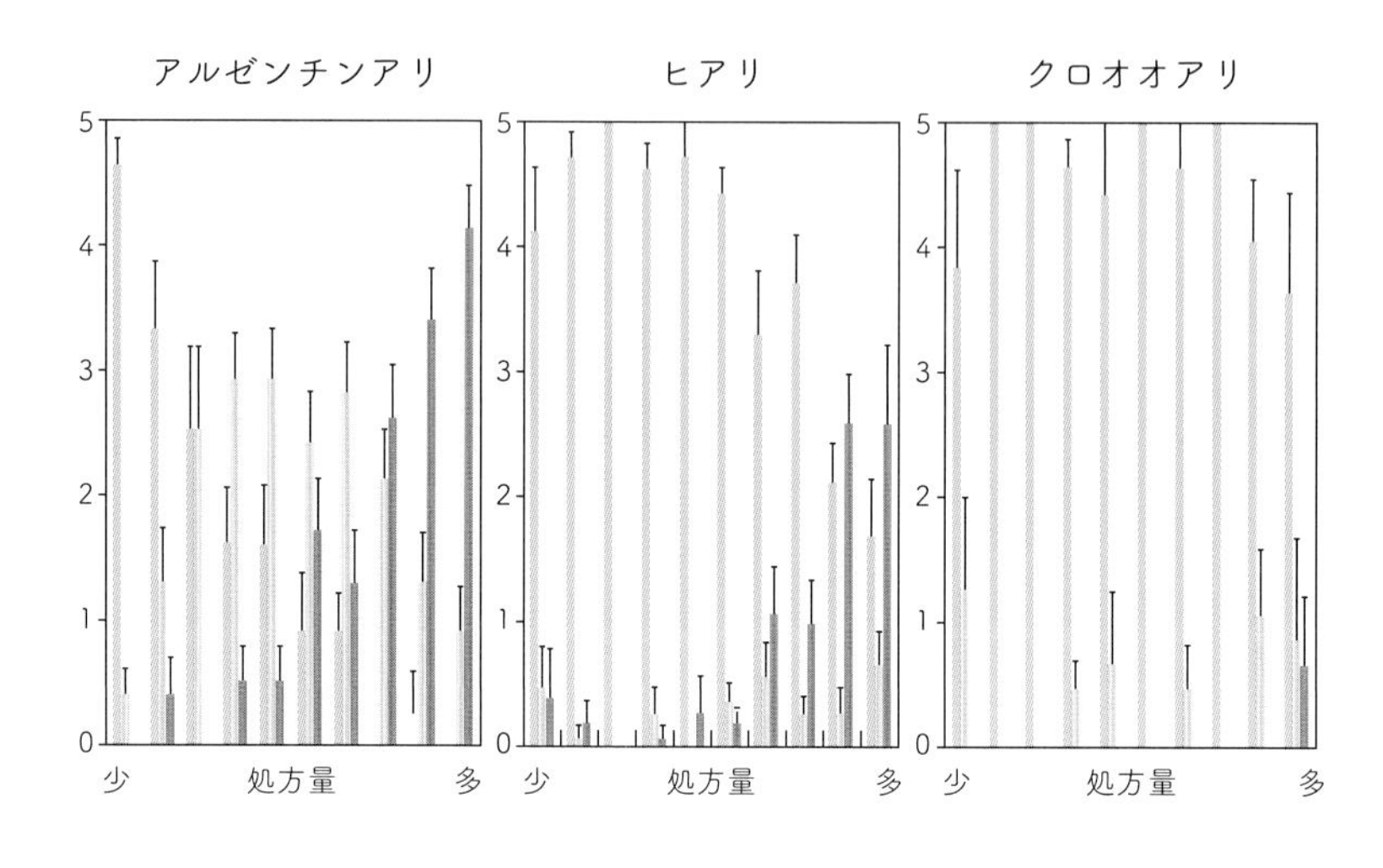

図 11-5　ある忌避剤に対する３種のアリの反応

［図11-5］は、世界的に駆除の対象となっているヒアリとアルゼンチンアリの忌避剤に対する反応を示したグラフです。赤い棒が立っているのは、そのアリが逃げていく程度を示しています。横軸は私の見つけた忌避剤の処方量を示しています。忌避剤の処方量を増やすと、アルゼンチンアリは100%近く逃げていきます。同様にヒアリも80%くらい逃げる効果があります。一方で、日本在来種のクロオオアリ（*Camponotus japonicus*）は逃げていきません。日本を意味する学名がついているこのアリに対しては、何のおどしにもならないんです。私の研究では、こういった忌避剤の効き分けをコントロールして、アリと人間との住み分けを実現しようとしています。

最後にクイズです。どうしてこの忌避剤はクロオオアリには効かないのでしょう？　実はこの忌避剤はクロオオアリの匂いの一成分なのでした。この答えが分かった人はきっとアリの研究に向いているかもしれませんよ！

COLUMN

by Keiko Gion

皆さんは小学生や中学生のとき、先生や家族から寄り道をしてはいけないと注意されませんでしたか。それは、効率よく最短距離を歩めば、安全に家へ帰れる確率が高くなるから。まっすぐ家に帰れば、悪いことや悪い人に遭遇しないという理由でしょう。だから、私は寄り道せずに、先生から言われたとおりに最短距離を、それも走って帰っていました。

一方、遠くの自宅から歩いてくる同級生たちは、５～６人でしゃべりながら、じゃんけんしながら、ボールを蹴りながら楽しそうに帰っていきました。私はそれをちょっとうらやましく見ていました。効率よく、まっすぐ最短距離を帰れば、おもしろいことやおもしろい人に遭遇するチャンスがないのです。最短距離って、実は損をしているのかも。

ただ、寄り道をしても、遭遇したことや人を見て「おもしろい」と思わないとその存在にさえ気づきません。偶然に予想外の幸運な発見をする能力を「セレンディピティ」と言います。寄り道をすることで、素敵な出会いをするには、観察力や洞察力、そしてなによりも好奇心が必要です。ひょっとすると、「おもしろい」に気づく力を寄り道が育んでくれているのかもしれません。今日はちょっと寄り道して帰ることにしませんか。

12

声の科学が変えるコミュニケーション

滝口 哲也

たきぐち てつや

神戸大学 都市安全研究センター
工学部情報知能工学科

広島県生まれ。小学生の頃は、ソフトボールをして、ピアノも習って、なんでも卒なくこなして大きな失敗はしないタイプ。中学校・高校では吹奏楽部に所属。社会人バンドに憧れるも、大学生になってからは研究三昧で音楽から離れる。本を読んで、一人で黙々と研究することを好む。読書は断然、紙派。電子書籍は苦手。紙の書類は読んだら、ためずに捨てるので、部屋はいつもきれいに整理整頓されている。音声の研究をしているのは、実はたまたま。コンピューターサイエンスは世界中のIT企業の研究者がしのぎを削る分野。そのなかでトップを走るために「趣味は研究」と言いきる。ただ、最先端を知っているがゆえに、その限界も見えている研究者は、自分のできることを黙々と積み重ねていっている。

私は機械で人の声質を変える研究をしています。声質変換というと、どのようなものを思い浮かべますか。有名なマンガの名探偵を思い浮かべる人も多いのではないでしょうか。しかし、現実世界で声質変換を実現することはとても大変です。まだ多くの課題が残っていて、現在も研究が進められています。

声質変換に関しては、色々な応用研究があります。例えば、発音が難しい外国語をネイティブ話者が発音しているような音声に変換する変声機。たくさんの国が集まるイベントなどでは、自動翻訳機があると非常に助かりますよね。しかし、現在の技術では、自動翻訳機は文法の整った簡単な一文であれば翻訳できますが、自由な対話音声や話し言葉で気持ちを伝えることは難しいです。

そこで私たちは自分の声で外国語を話したいと思うわけですが、外国語の習得は難しいものです。外国語の発音には日本語にない発音が多くあります。英語でもRとLの違いを聞き分けたり、話し分けたりするのは難しいですよね。カタカナ外国語をそのまま読んでも通じないことがよく起こります。カタカナ外国語を読んだ音を、変声機を通してネイティブ話者のような発声に、しかも話している人の声質を残しながら変えてくれる装置が存在すると非常に助かりませんか。他にもオペラの歌声に変換する変声機に関する研究も行っています。あまり上手ではない歌声が変声機を通ると、話者性（話している人の音声の特徴）を残しながら、まるでプロのオペラ歌手が歌ったような声になるわけですね。

このようにたくさんの変声機に関する研究がありますが、未来の社会を考えるうえでどのような課題と関係してくるのでしょうか。私が注目している声についてお話ししましょう。

まず、2つのグラフを紹介します。［図12-1］は、各国の高齢化率を示していて、縦軸が高齢化率、横軸が西暦を表しています。2060年には、日本の人口の40%が65歳以上の高齢者になると言われています。人は歳を取ると、筋肉が衰えてきます。すると、明瞭な発話が難しくなる可能性があります。加齢に伴い病気になる場合もあります。脳卒中を例にとってみましょう。［図12-2］は日本における脳卒中の患者数です。15～34歳のときに脳卒中になることはまれです。35～64歳になると徐々に増えてきます。65歳以上になると、かなり数が増えます。脳卒中になって後遺症としてまひが残ると、明瞭に発話できないことがあります。つまり、あらゆる人が発話コミュニケーションの問題を抱える可能性が十分にあるのです。

あるいは、例えば、脳性まひにより明瞭に発話しづらい障がいを持つ方もいます。筋肉を思い通りに制御することが難しく、健常者と発話スタイルが異なるために聞き取りが困難です。周囲の人たちの言うことは分かりますが、口がうまく動かせないために不明瞭な発話になり、周囲の人は脳性まひの方の発話を聞き取れないのです。

周囲の人とのコミュニケーションがもっとスムーズになれば、さまざまな人がともに生

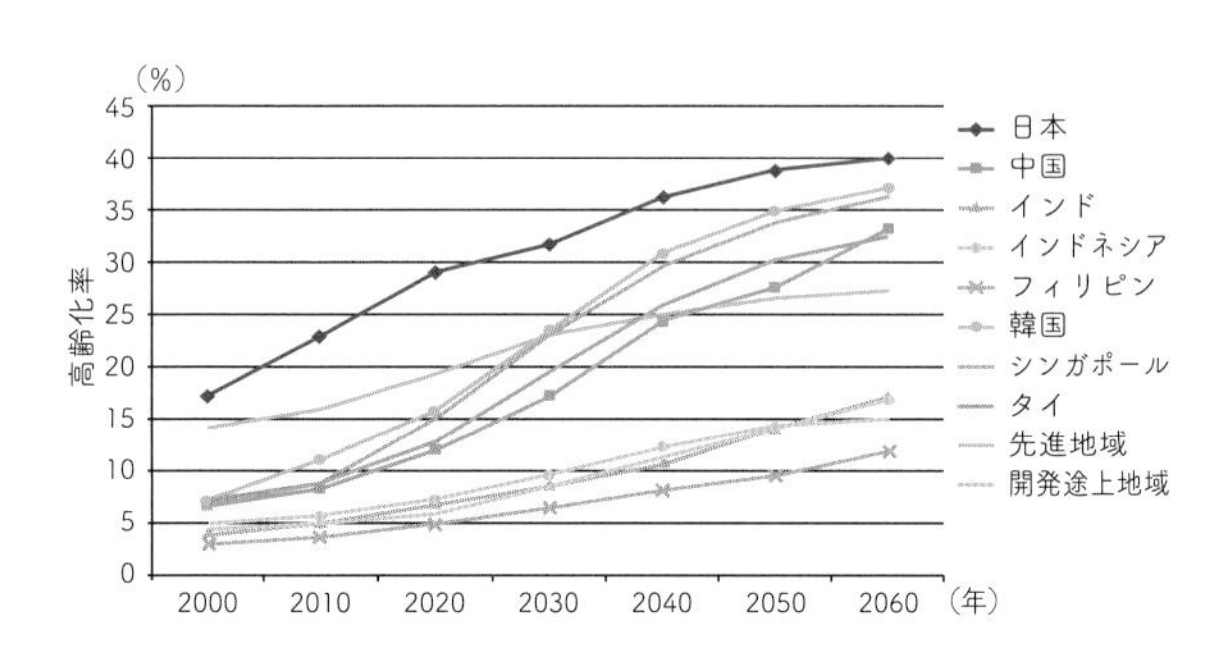

図12-1　各国の高齢化率（2016年）

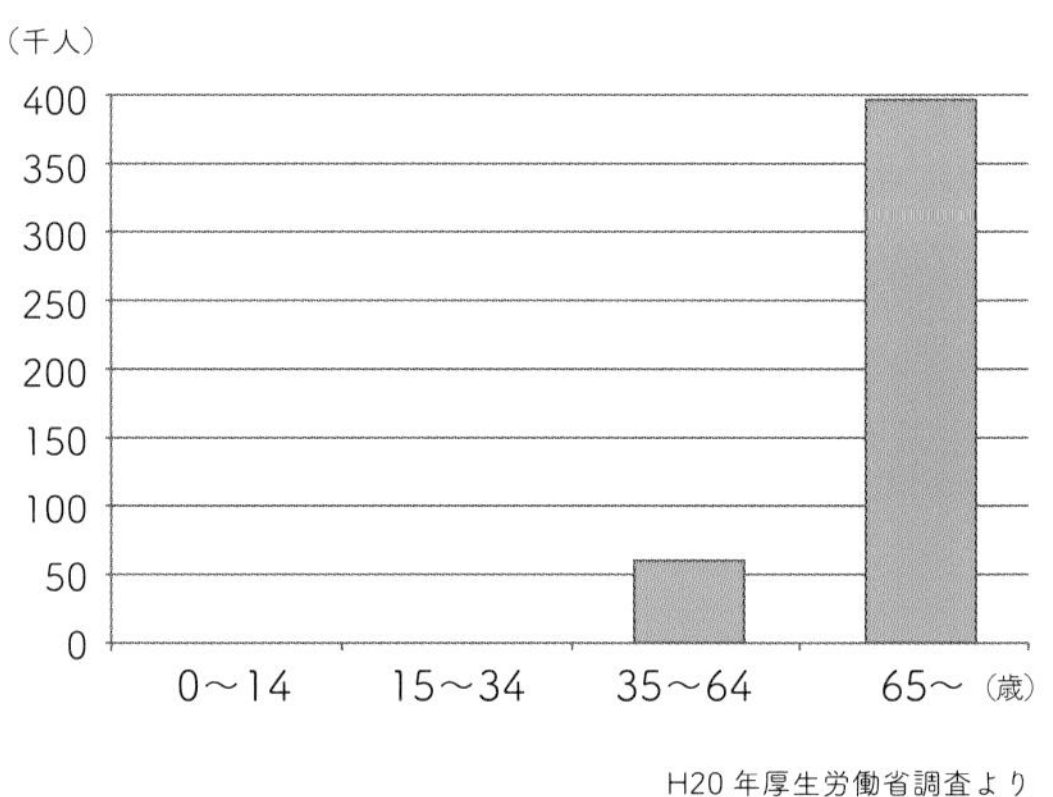

図12-2　日本国内の脳卒中患者数／年齢別（2008年）

きていく豊かなコミュニケーション社会を実現できないでしょうか。

　そこで、私の研究では、まひによる聞き取りの難しい発話に対して、その人の声の特性を残しながら、つまりその人のアイデンティティを大事にしながら、聞き取りやすい声をつくろうとしています。基本的には声から声をつくり出したいのですが、なかなか難しいのが現状です。そこで、与えられたテキストから音声を合成する方法についても研究しています。


　ここでは2つの音声合成装置を使います。まず1つは、脳性まひの方の音声合成システムです。たとえばテキストで「昼食は」と入力すると、合成システム装置から脳性まひの方の声で音声が出力されます。この時点では聞き取りは難しいです。

　もう1つは健常者の音声合成システムです。「昼食は」とテキストを入力すると、聞き取りが容易な声で出力されます。

　次に、この2つの合成音を使い、本人の声の個性を残しながら聞き取りやすい声をつくります。〔図12-3〕の上が脳性まひの方の合成音、下が健常者の合成音です。どちらも「昼食は」と話している合成音を周波数分析した結果です。縦軸が周波数で、横軸が時間を表しています。赤色や黄色の部分が周波数成分の強い部分、青い部分が弱い部分です。健常者の周波数は赤色、黄色の部分がたくさんあることが分かります。つまり、いろいろな周波数成分が健常者の声には含まれています。一方、脳性まひの方の声は、低い周波数成分に赤い周波数成分がややありますが、高い周波数では赤や黄色の成分がほとんどありません。

　そこで、健常者の高い周波数成分を脳性まひの方の音声にコピーします。低い周波数はそのままです。すると、話者性を残しながら、少し聞き取りやすい声をつくりだすことができました。

　ほとんど聞き取れない状態から、このような合成をすることで、1割でも2割でも聞き取れるようになれば、「今こう言ったの？」あるいは「それは何？」といったように、次のコミュニケーションにつなげることができます。必ずしも１００％聞き取れなくても、

高
周波数
低
脳性まひ者の合成音

高
周波数
低
健常者の合成音

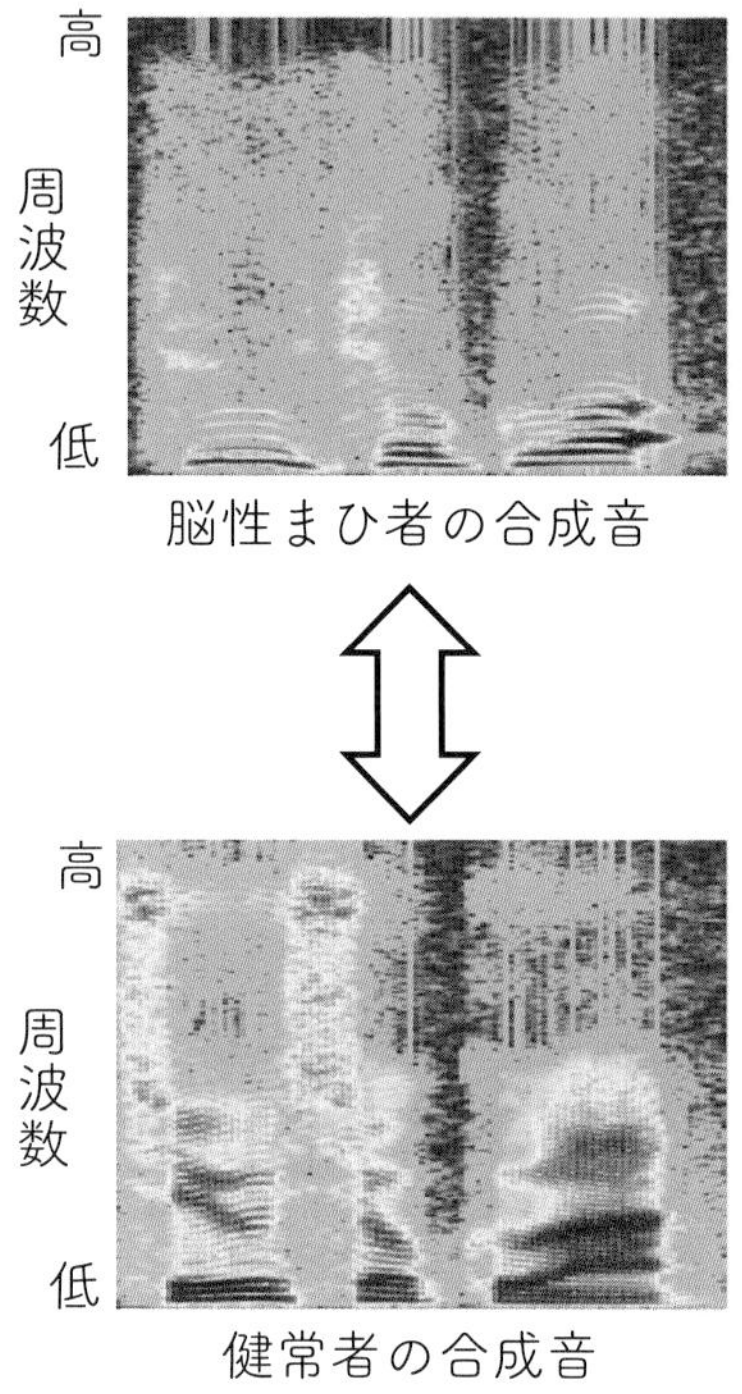

図 12-3　脳性まひ者と健常者の合成音の周波数比較

コミュニケーションは大きく変わるはずです。

　現在研究しているシステムでは、事前に脳性まひの方に２００以上の文章を声に出して喋ってもらいました。その録音をもとにシステムをつくっています。しかし、障がいを持つ方の体力負担を考慮すると、もっと少ない文章で実現できないかというニーズがあり、研究を進めています。

　これから社会の高齢化が進むなか、加齢や脳血管障がいなどを原因とした構音機能低下（正確に発音する機能が低下している状態）によるコミュニケーションの難しさが社会共通の課題になっていくと思われます。このような技術はそういった問題にも役に立つため、きっとこれからのコミュニケーションを支えてくれると信じています。

COLUMN by Keiko Gion

技術が進歩するごとに、できないことができるようになっていきます。例えば、携帯電話が日本で初めて販売されたのは1978年のこと。それから40年ほど経ちますが、その間にさまざまな技術が開発されて、携帯電話は改良されていきました。テキストや画像を送受信できるようになって、聞くことや声を出すことを苦手とする人も使いやすくなりました。大きな液晶画面になったことで、見ることが苦手な人は見やすくなったでしょう。しかし、一方でタッチパネルになって携帯電話が使えなくなった人がいます。手を使うことを苦手としている人たちには、40年前からずっと使い勝手の悪い代物に変わりありません。できることが増える一方で、できないことも同じスピードで増えていっているように感じます。

私が初めて携帯電話をもったのは、同級生のなかでも遅いほうでした。そもそも新しいものに飛びつく性格ではなかったのですが、携帯電話をもったら、これまで気づいていたことに気づかなくなるような気がしたので避けていました。実際に、携帯電話をもって、気づいていたであろうことに気づかなくなったのではないかと思います。しかし、気づかなかったであろうことに気づくようにもなったと思います。

第 5 章

安全と未来

Safety and Future

13

過去に学び、残し伝えること

奥村 弘

おくむら ひろし

神戸大学 文学部人文学科
大学院人文学研究科社会動態専攻

愛知県名古屋生まれ。生まれてすぐに、スモッグ、石炭の煙が立ちこめる高度成長期ど真ん中の大阪の下町で育つ。算数と理科が好きでトランジスタラジオづくりに熱中した理科系自由少年はなぜか人文学の道へ。そこには、高校時代の2人の面白い先生との「出会い」があった。大学に入ってからも恩師との「出会い」に導かれて日本近代史の研究を行ってきた。歴史資料とのワクワクするような「出会い」と阪神・淡路大震災を経験して過去、現在、未来をつなぐための「伝承」の難しさを味わう。大阪からママチャリで大学に通う体力系歴史学者は、未来とつながるために今日も「出会い」と「つながり」を大切に、研究を続けている。

震災の記憶を未来に伝えることをテーマとして話を進めていきたいと思います。特に災害に強い文化や地域社会をどのようにつくっていくのか。兵庫県神戸市の住吉地区の事例を含めながら考えてみましょう。

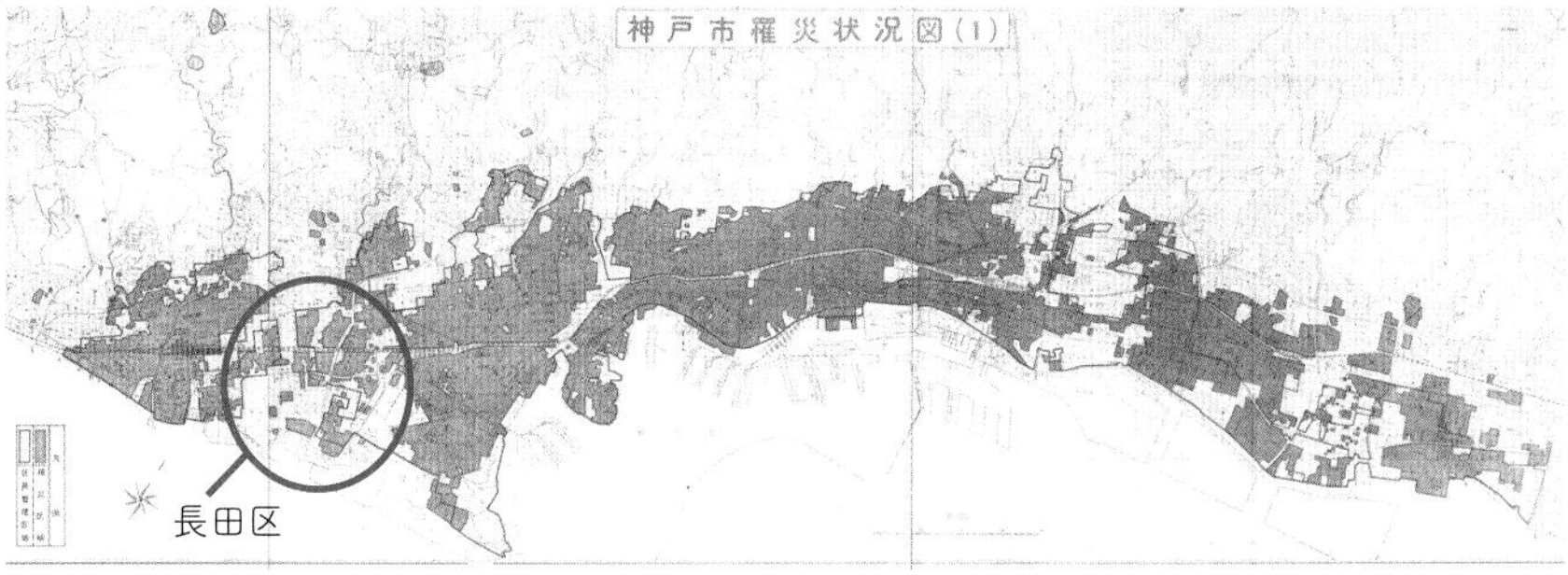

現在、阪神・淡路大震災を直接的に経験した高校生や大学生の方はほとんどいなくなりました。そこで、阪神・淡路大震災について触れておきたいと思います。1995年1月17日の早朝5時46分にマグニチュード7・3の大地震がありました。それによって、6434人の方が亡くなりました。狭い都市域で大規模な災害が起こり、日本列島の交通を寸断しました。東日本大震災の全域での全壊戸数は12万戸ですが、阪神・淡路大震災では狭い範囲で10万戸の家が壊れました。大規模な破壊により、復興に長い時間がかかったわけです。

その震災からは20年以上が経ちました。20年という時間をどう考えるのかが、最初のポイントになります。20年が経つと、直接的な経験者は少なくなってきます。神戸市民のほぼ半数が直接的に震災を知らない世代です。阪神・淡路大震災の記憶を引き継いでいくためには、体験としてのみでは語れない状況、歴史として語っていくしかない状態になりつつあります。どのようにそれを歴史として語るのかということが重要になっていくわけです。

[図13-1]は、第二次世界大戦での大空襲のときの神戸の焼失地域を表したものです。丸で囲まれている地

図13-1　第二次世界大戦時の神戸市罹災状況図

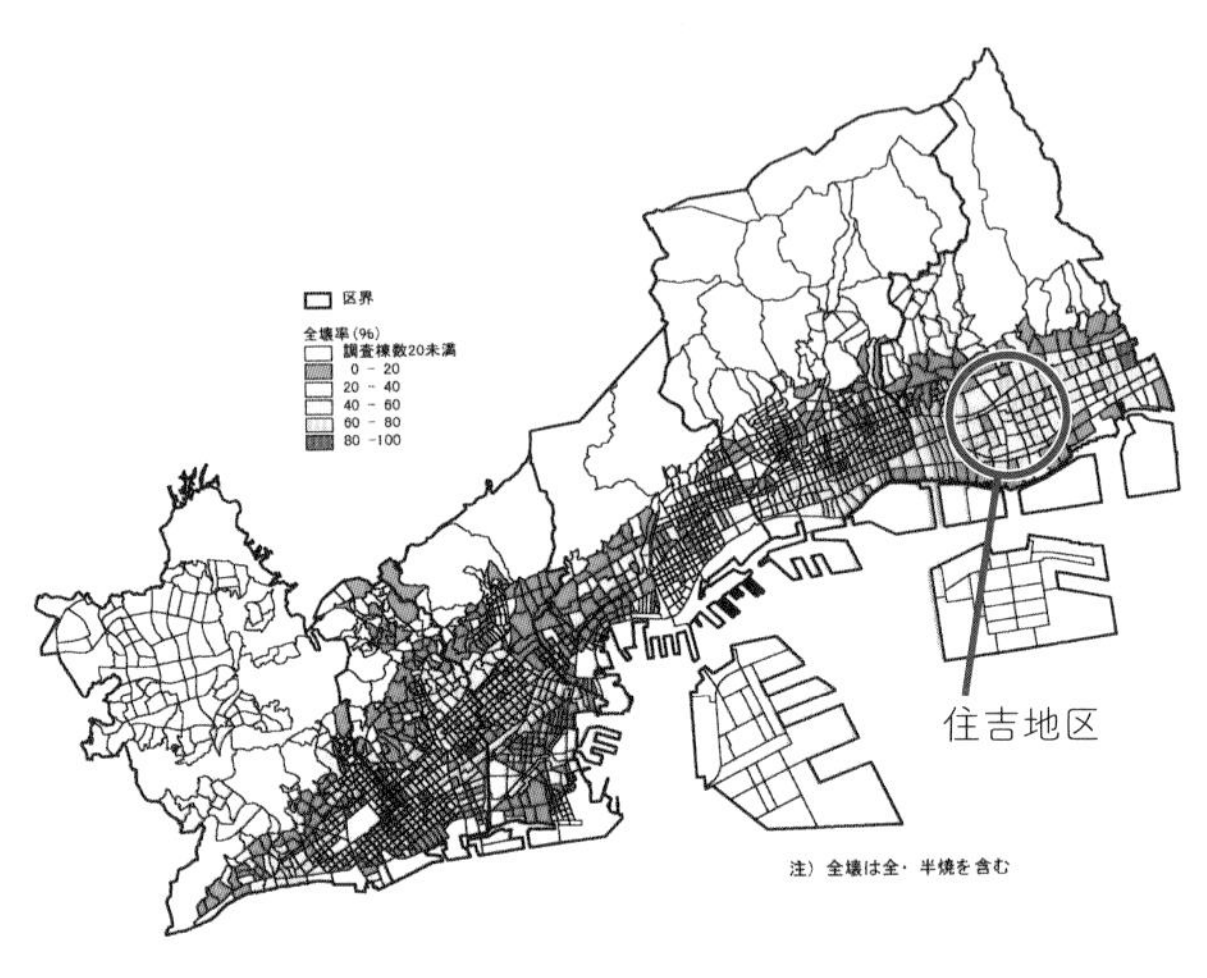

図13-2　阪神・淡路大震災被災家屋　建物全壊率

域は現在の長田区です。阪神・淡路大震災で最も火災の多かった地域です。実は、長田区は空襲のときにたまたま焼け残った地域でした。長田は戦前においては、重工業に従事する労働者を中心とした町で、木造住宅が多くありました。第二次世界大戦で焼けなかった場所が震災のときに大きく焼けたということです。長田の火災は、地域の持つ歴史性を強く反映しています。

住吉地区においても災害における歴史性が強く出ています。私が震災のときに歩いてまわった体験からするに、住吉地区は神戸市内で最も揺れが強かった地域の1つだと思います。付近の阪神高速道路の高架橋が倒壊し、JR六甲道駅も落ち、地震の影響が非常に大きかった所です［図13-2］。［図13-3］は、JR住吉駅付近にあった灘神戸生協本部が倒壊した様子です。両側のビルが実は壊れていないことに注目してください。このように、直下型地震の被害は、非常に激しい所とそうでない所が通りを1本へだてて存在します。被害がきわめて多様であったことを当時から強く意識させられました。

ところが、こういう情報はなかなか伝わりにくいのです。むしろ「町全体が大破壊を受けた、カタストロフィーになった」という報道のほうが圧倒的に多数を占めていました。テレビやウェブなどの情報は、一番ひどいところが強調されます。東日本大震災でも同様でした。

東日本大震災の場合は、被災地域が広範におよび、現場の状況はもっと多様です。宮城県塩竈市で聞き取りをしたところ、津波はさまざまな要因により、大きな力でぶつかったのではなくて、その水はひたひたと押し寄せるように上がってきたと住民が述べていました。建物は壊れずに水が引いていったわけです。同じ災害でも、塩竈市と大船渡市ではその様相が大きく違うのです。

災害の情報はときに、リアリティーをもって伝わりにくいことがあります。大崩壊したという議論を前提として、だから絆が大事だとか、命が大切だとか、抽象的に述べられていくことが多くあります。具体的な課題が十分に問われないまま議論を展開すると、きわめて一般的な道徳の徳目のようになってしまいます。例えば、建物一つひとつの壊れかた

図13-3　被災当時の灘神戸生協本部
生活協同組合コープこうべ提供

が、その地域の人々の長い生活の歴史によって変化します。地域によって、災害の際に具体的に求められていることも変わるわけです。

大災害時の減災を考えるうえでは、リアリティーをもって私たちの社会を捉えることが大切です。では、リアリティーがないとどうなるのでしょうか。

私は地震災害についての2つの消極的な意見になっていくように思います。阪神・淡路大震災被災地の同世代の方々と話をしていると、「自分が生きているうちは、もう地震はけえへんで」という声を聞きます。しかし、それには何の根拠もありません。実際には、神戸は定期的に地震が起こってきていますし、海溝型の地震はすぐに起こってもおかしくないわけです。しかし、日常生活においては、「あれだけ大きなのが来たら、次はけえへん」と考えたくなるわけです。また、トラフ型の地震については、「30万人も死ぬんやったらしゃあないな。そのときはそのときや」という意見が出ます。この2つの見方から減災に具体的に対応する動きは出てこないでしょう。

したがって、災害への具体的な対応を重要視できる社会をつくるためには、災害を記憶し、継承していく、いわば「災害文化」が重要な役割を果たすと私は考えます。

災害文化をつくっていく手法には、災害についての聞き取りと、それを記録として継承していくことがあります。例えば、住吉地区では、私たちは地元の皆さんと一緒に、震災当時に住吉地区のボランティアリーダーだった人から聞き取りを行ったことがあります。住吉中学校の避難所で水の利用がうまく行われていたと聞いていたからです。

その方によると、1945年8月6日の神戸大空襲後の避難所であった住吉小学校が「うんこだらけで汚かった」ことが記憶に残っていたとのことでした。その経験から、震災時の避難所ではそうならないように、断水下でなんとか水を使えるようにしたいと考えたそうです。そこで、江戸時代以来、住吉地区が村であった頃から存在する水路を利用して、避難所まで水を引くことを思いついたと聞きました。

この話に私たちも驚いて、その水路を何度か訪れたことがあります。今は側溝の一部のようになっています。水路には横穴があいており、そこで仕切ると、別の所に水が通ります。住吉地域のすべての所に水を送ることが可能なまま水路が保存されていたわけです。おかげで住吉中学校の避難所は水に関して大きな問題を抱えなかったそうです。

この話をお聞きしたときに、ここでは大災害の記憶が非常にリアルな形で維持されているということと、それが地域の持つ長い歴史と結びついていることを強く感じました。住吉は現在もだんじりが盛んな地域で、江戸時代以来の村の歴史が記憶として残っています。そして、それが戦災の記憶として引き継がれ、さらに阪神・淡路大震災で生かされていく。

図 13-4　住吉地区の水路（兵庫県神戸市）

それを今度は地元の人とともに聞き取りをして引き継いでいく……。災害に強い文化とは、災害の記憶を歴史として、さまざまな形で引き継ぐなかで形成されていくのではないでしょうか。

そういった社会に蓄積された知を積極的に掘り起こし、体系的に整理して伝えることができれば、災害に強い文化を伝えることができると考えています。地元の方々と研究者が協力しながら、そのような文化を形成していくことが求められています。

さて、住吉という地域は、江戸時代から昭和期まで水車で有名で、灘の酒造業の中心でした。江戸時代においては、日本最大の工業地帯の1つだったと言えます。しかし、水車を利用していたということは、水害に襲われる可能性も高かったわけです。

何度も水害に襲われ、１９３８年の阪神大水害では致命的な被害がありました。さらに、１９１６年には神戸を震源とする大きな地震も起こっています。このように災害と闘いながら生きてきた場所です。阪神大水害の際につくられた「常ニ備ヘヨ」という大きな石碑が今も残っています。

・1772年　天明2年5月　山津波
・1827年　文化10年　大洪水
・1848年　嘉永元年8月　大洪水
・1854年　安政元年6月15日、11月4日　安政大地震
・1871年　明治4年5月　風水害
・1896年　明治29年　大水害
・1905年　明治38年8月25日　住吉川氾濫
・1910年　明治43年9月　豪雨　住吉川氾濫
・1916年　大正5年11月26日　強震（M6.1　神戸）
・1921年　大正10年9月25、26日　大洪水
・1922年　大正11年7月4、5日　大水害
・1925年　大正14年9月　住吉川氾濫
・1934年　昭和9年9月21日　高潮
・1935年　昭和10年　大水害
・1938年　昭和13年7月5日　阪神大水害「常ニ備ヘヨ」

※『住吉村誌』より抜粋

図 13-5　住吉村の災害記録

現代の日本社会は、住吉地区で見られるような古い村と新しい自治が、重層的に構成されています。この重層性は、古くは6世紀ぐらいから形成されはじめ、現在にまでつながっています。このような社会の重層性をリアルに捉えないと、現在も重要な役割を担っている消防団の意味や、災害時の対応で基礎となる避難所の設置の仕方も、十分理解できないのではないでしょうか。しかし、現在、さまざまな理由で、この重層性を維持することが困難になりつつあります。日本社会の根幹が崩れかけているなかで、私たちは災害に直面しなければならない状況にあります。

災害をリアルに捉え、その記憶を歴史として継承し、次の災害に対処していくこと。それが日本社会の重層性を深く理解することにつながり、社会の未来を具体的に考えていくために重要な視点をもたらしてくれます。

COLUMN

by Keiko Gion

　中学校や高校の期末試験も、大学入試も、私の成績はまずまずでした。答案用紙に書くべき答えは決まっていて、覚えていれば解答欄を埋めていくことができる問題ばかりだったからだと思います。日本史も生物も丸暗記すれば何とかなるし、英語はパズルのように言葉を入れ替えるだけでよかったし、数学も物理も公式さえ覚えていればなんとかとかなるし。けれども、日本史や生物を丸暗記しただけでは未来はつくれないことに気づいたのは、大学に入って専門分野の授業が始まってからでした。答案用紙に自分が考えたことを書いてもよいと気づいたのは、そのまた後でした。答えが見つかっていない問題が、答えが見つかっている問題よりもずっとずっと多いことをどうして誰も教えてくれなかったのだろう。

「自分の運命を自分で決めることのできるコミュニティはどのようにできるか」という問題も答えが見つかっていない問題の1つです。答えを見つけようとしたとき、何もないところから見つけることはできないので、何かヒントになることを探しに行こうとして、止まってしまいました。どこを探せばヒントが見つかるのだろう。とりあえず図書館へ向かって歩きだしました。

14

備えのリアリズム

北後 明彦

ほくご あきひこ

神戸大学 都市安全研究センター

工学部建築学科

兵庫県明石出身。中学生時代は陸上短距離、高校生時代は邦楽部で尺八をやっていた。自然科学的なことも社会科学的なことも考えたいということで、大学では建築学科に学ぶ。建築と社会との関係について研究することを志し、防災の研究室に所属する。防災において重要なことは、物事を「自分ごと」として捉えることであると強調する。みんなが落ち着いて平穏に暮らせる余裕のある未来社会を目指し、防災研究の第一線で活躍する。ジグソーパズルのピース合わせのように、コツコツと体験を積み重ね、起こったことを大事に捉えていくその防災研究に対する姿勢は、学生時代からまったくブレていない。

2017年にロンドンで発生した高層アパートの悲惨な大規模火災は、私たちにとって安全について深く考えさせられる機会となりました〔図14-1〕。ここでは80人以上が亡くなってしまいました。この火災は4階から出火し、最上階まで外壁沿いに炎が上りました。このアパートは、1974年に建てられた古い建物でした。後に、断熱性能が悪かったり、外観が良くなかったりといった理由で外壁が改修されています。外壁を改修した際、外断熱方式が採用されましたが、外壁の一部に燃えやすい素材が使われていました。

その素材については、法律や性能基準に沿っていたと業者は主張しています。しかし、実際には外壁を伝って上階へ延焼したわけです。冷蔵庫から出火したと言われていますが、施工ミスなのか、素材の問題なのか、真の原因は分かりません。性能的に検証して安全だから大丈夫というふうに考えるのではなく、より質的な安全の確保が必要でしょう。

例えば、この建物の避難経路は十分とは言えませんでしたし、スプリンクラーもありませんでした。火災の警報システムがきちんと機能せず、警報を聞いていなかった人が非常に多かったことも分かっています。

イギリスの防火システムは、消防局が中心になってコントロールする従来の体制から、各建物で安全を確認し、それぞれの責任とする流れになってきています。しかし、建物においてしっかりと安全を確保できないままに、このような悲劇が

図14-1　グレンフェル・タワー火災（イギリス・ロンドン）

図14-2　火災への行政対応に対する抗議活動

起きてしまいました。

実は、火災以前より、防火対策の不安や消防車が入りにくい構造について、住民が行政に指摘をしていました。イギリス国内では、行政の対応をめぐって抗議集会が行われました〔図14-2〕。

次に、兵庫県神戸市の津波避難対策を見てみましょう。津波が起きた際、神戸の海岸沿いに住む人たちは、山側に向けて避難していく必要があります。海側から山側に向けて道を上がっていくと、途中に国道43号線という大きな道路があります。いざというとき、頻繁に交通渋滞をしている広い道路を越えていけるのでしょうか。43号線には道路の下にトンネル通路が設けられていますが、その狭い通路に大勢が押しかけたら、どうなるのでしょうか。そういったことが地域住民の不安の種でした。

そこで、避難計算というものを行いました。住民の人数や通路の幅、通路に入っていく人の流動係数などを使って計算すると、10分以内には43号線を越えられるという結果を得ました。しかし、その通路が地震によって壊れない保証はありませんし、想定外の避難状況があるかもしれません。計算上問題なければ大丈夫というわけではなく、その地域のことをしっかりと考えて、さまざまな条件を考慮しなければ、実際に災害が起こったときのことは想定できないわけです。

私の研究室では、地域の避難訓練で実際の避難時間を計測したり、お年寄りや小さな子ども、あるいは体の不自由な方が他の人に運ばれるケースなどを計測したり、避難にかかる時間について研究をしています。避難シミュレーションを研究するだけではなく、実際の運用においてうまくいくのかどうか検討することが一番大事だと考えています。

図 14-3　津波避難タワー（高知県中土佐町）

〔図14-3〕は、高知県中土佐町にある津波避難タワーです。この町で津波から避難する際、山に行くには少し距離がある場合があります。この地域は、地震発生後に津波が到着するまで時間的余裕があまりありません。特に高齢者や体の不自由な方が山までたどり着くのはなかなか難しいわけです。そのため、このような津波避難タワーが建造されました。ただ、津波避難タワーがあったとしても、実際の避難にどれだけの時間がかかるのか考えておかなければいけないでしょう。この津波避難タワーにはスロープがあり、車椅子などが上がりやすくできています。しかし、もしスロープがない避難タワーであれば、歩くのが困難な方を誰かが抱える、あるいは背負う必要があります。そういったケースにおいて必要な時間を予測する式をつくり、各地域の避難計画

図 14-4　津波避難タワーでの避難検証

の検証に役立てようとしています［図14-4］。

このように、これから災害に向き合うまちのあり方を考えるうえで、地域ごとの特性やあらゆる条件を考慮する必要があります。従来のようなトップダウンのアプローチではなく、各地域の人々が行政や専門家、支援者と連携し、地域ごとに柔軟にまちづくりを行うことが求められています。

被災後の復興において、地域ごとに最適な方策を考えて実行していくと、きっと次のような条件を備えた持続可能な地域を実現できると考えています。

- より良い土地利用
- 強い家屋
- より良い生活環境
- 経済生活の成立
- 社会関係の発展
- 減災

人々が行政や専門家と連携して、その地域のなかで安全を考えられるのが、防災や減災の理想です。人と人とのつながりが持続可能なまちへの扉と言えるでしょう。

COLUMN

by Keiko Gion

小学生の頃、お箸の持ちかたを注意されて、何度もお箸を落としそうになりながらご飯を食べた記憶があります。箸の持ちかたは中学生の頃にようやくちゃんとできるようになった記憶があります。なぜこんな面倒くさい思いをしながらご飯を食べなくてはならないのか不機嫌になりながら、もっと楽しく食べればいいじゃんとよく考えていました。

歌舞伎や空手などには型と呼ばれる決まった形式があって、まずはその型を覚えることから練習がはじまります。歌舞伎にも空手にも、実は全く興味はありませんでした。決まったルールの上に乗せられて、ルールのとおりに物事を進めることに何の意味があるのでしょうか。決まった形式通りの人生なんて、ちっとも面白くないとずっと私は思っていました。ですから、新しい場所へ繰り出して、新しい人に出会って、新しいことに挑戦しました。しかし、私の手元に何が残っているのかよく分らないのです。

このあいだ、型抜きクッキーをつくりました。星の形をした型抜きをクッキー生地にザックザックと押し当てて、たくさんの星型クッキーができあがりました。味は特に可もなく不可もなくでしたが、見た目はきれいに整ったクッキーが並びました。

15

未来に対する私たちの責任

飯塚 敦

いいづか あつし

神戸大学 都市安全研究センター
工学部市民工学科

大阪府吹田出身。小学校時代はやりたいことをやる自由人。一方で孤立というコンプレックスも味わう。このコンプレックスが、彼の現在の強い責任感と公共性の源泉となっている。高校時代、数学が得意だった彼は医学部志望だったが、滑り止めで受けた土木工学科の合格通知をもらって心変わりをして、その道へ入る。座右の銘は「お前じゃない、しかしお前しかいない」。謙虚さと責任感のにじみ出た恩師の言葉である。「僕たちのミッションは人の命を守ることに尽きる」と話す神戸大学未来世紀都市学研究ユニットの長は、誰一人として災害で命を落とさない未来社会の構築を目指し、これまでの受身の防災・減災から、新たな価値を生み出す能動的防災・減災へのパラダイムシフトを導こうとしている。

未来と一口に言っても、近い未来と遠い未来がありますが、今日の話は10万年くらい先と現在を考えなければなりません。まずは、今からさかのぼること10万年前。それはネアンデルタール人の時代に、クロマニョン人がちょうど現れた頃でしょうか。私たちホモサピエンスは、まだアフリカの大陸から移動していない頃です。一方、今から10万年後を考えてみます。人類が10万年後に存在しているかどうかは分かりません。しかし、人類が今まで地球で行ってきたことに対する責任は果たさねばなりません。そのために、10万年先のことを考えなければならないのです。

私たちが行ってきたことの責任の1つが、放射性廃棄物の処分問題です。高レベルの放射性廃棄物をガラスと混ぜて固形にして地中深くに埋めることを地層処分と呼びます。〔図15-1〕は、パシフィックノースウェスト国立研究所が高レベルの放射性廃棄物をガラス固化体にした様子です。

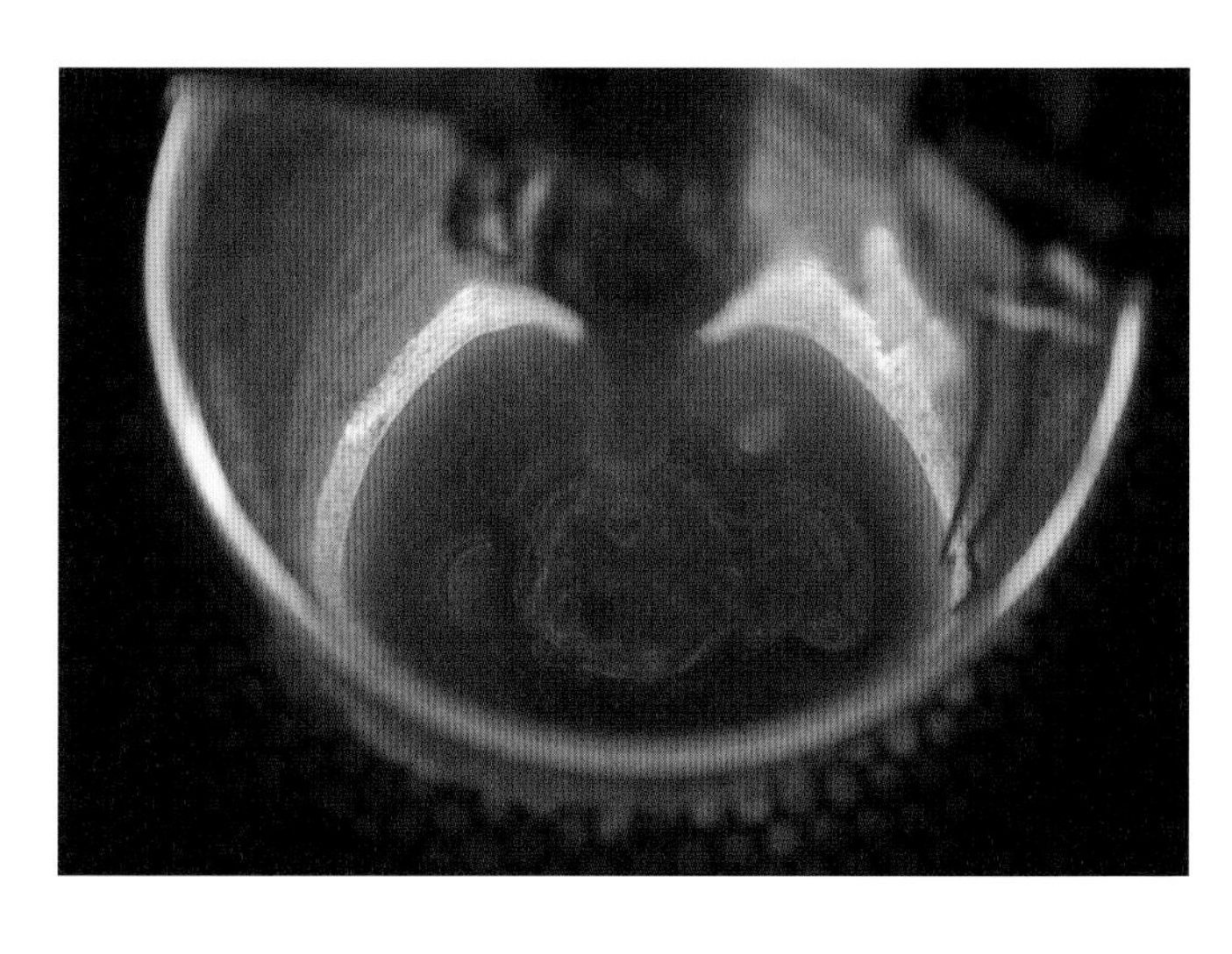

図15-1　高レベル放射性廃棄物のガラス固化

放射性廃棄物を出すもとは原子力発電所です。原子力発電の燃料は、ウランを加工した固形物質でイエローケーキと呼ばれています。その後、一度使われた燃料は再処理工場で加工され、もう一度燃料として利用されます。このようなサイクルが考えられており、実際に運用されようとしています。

しかし、これでも廃棄物は出てしまいます。その一方で、廃炉になる原子力発電所も出てきます。日本では、全部で60

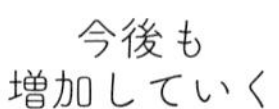

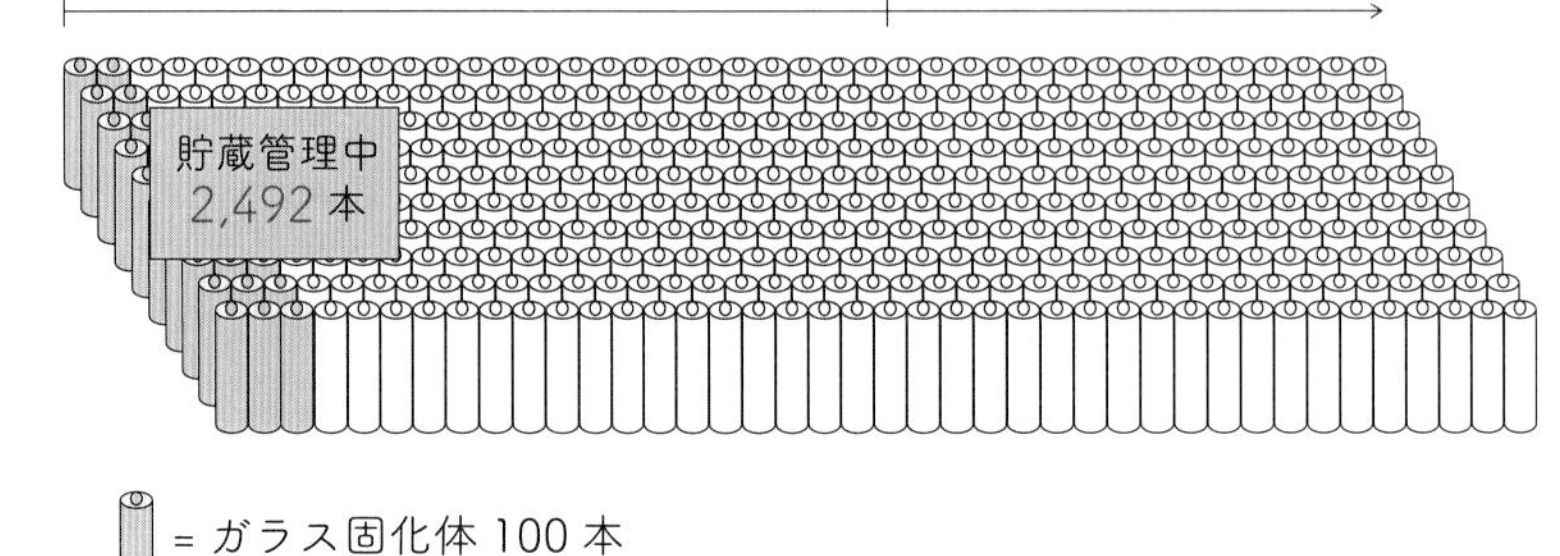

図 15-2　高レベル放射性廃棄物の数（2020年3月時点）

基ぐらいの原子力発電所があります。その内、24基は廃炉になるはずです（2020年11月現在）。それらの原子力発電所から出る高レベル放射性廃棄物は、リサイクルをしたとしても原子力発電環境整備機構（NUMO）の試算によると、［図15-2］のようになります。この廃棄物の難点は、ウラン鉱石として採ってきたよりも、燃料として使った後のほうが放射能が随分と強くなってしまうことです。発電が終わってから、50年から100年をかけて冷やします。それから、それを10万年間、地層に埋めてしまうわけです。10万年後には、ようやく昔ウラン鉱石としてあったぐらいの放射能に戻るそうです。

どのようにして地中に埋めるのでしょうか。まず廃棄物をガラス固化体として固形化して、金属製のオーバーパックに格納します。次に、ベントナイト緩衝材という粘土でその周りを覆います。それを地下300mより深い岩盤に埋めます。岩盤とともに多重のバリアで、廃棄物からの核物質の移動を防ぐのです。私は地盤工学が専門なので、10万年の安全を保証するうえで、ベントナイト緩衝材がどれくらい放射能を封じ込めることができるか、その技術を体系化したいと考えています。

地層処分のタイムスケールは［図15-3］のようなものです。処分場の建設後に周りの岩盤から地下水が入ってきて冠水します。すると、オーバーパックを囲むベントナイト緩衝材に水が染み込んでいきます。ここでベントナイトの素晴らしい性質が役に立ちます。ベントナイトは水を吸い込むと膨張してさらに透水性（水の通りやすさ）が悪くなる。もともと透水性が悪いのですが、さらに悪くなります。緩衝材に少しのすき間があっても、そこを閉じてくれるだろうと期待されています。

ところが、10万年というスケールで考えると、せっかくのベントナイトも変質してしまいます。どの鉱物に変わるかは、供給されるイオンや温度といった環境によります。変質したときに、私たちが期待している機能が保たれるのかも検討しなければなりません。

まず、再冠水したとき、つまり地下水がベントナイトの緩衝材に入ってきたとき、ベントナイトはどのように振る舞うでしょうか。そこで弾塑性理論という力学理論と土・水連成解析という手法を使い、振る舞いをシミュレーションしてみました。再冠水後、1万年経っても、ベントナイト緩衝材のすべての場所が完全に飽和するわけではないという結果が出ました。つまり、どこかに不飽和状態（飽和しきらない状態）が残ってしまうかもしれないというシミュレーション結果です。まだ本当にそうなるか確信は持てていません。また、密度が均質にならないという結果も得られました。この後、ベントナイトは変質していくとすると、密度が不均質な状態で変質を迎えることになるわけです。

次に、超長期の視点では、ベントナイ

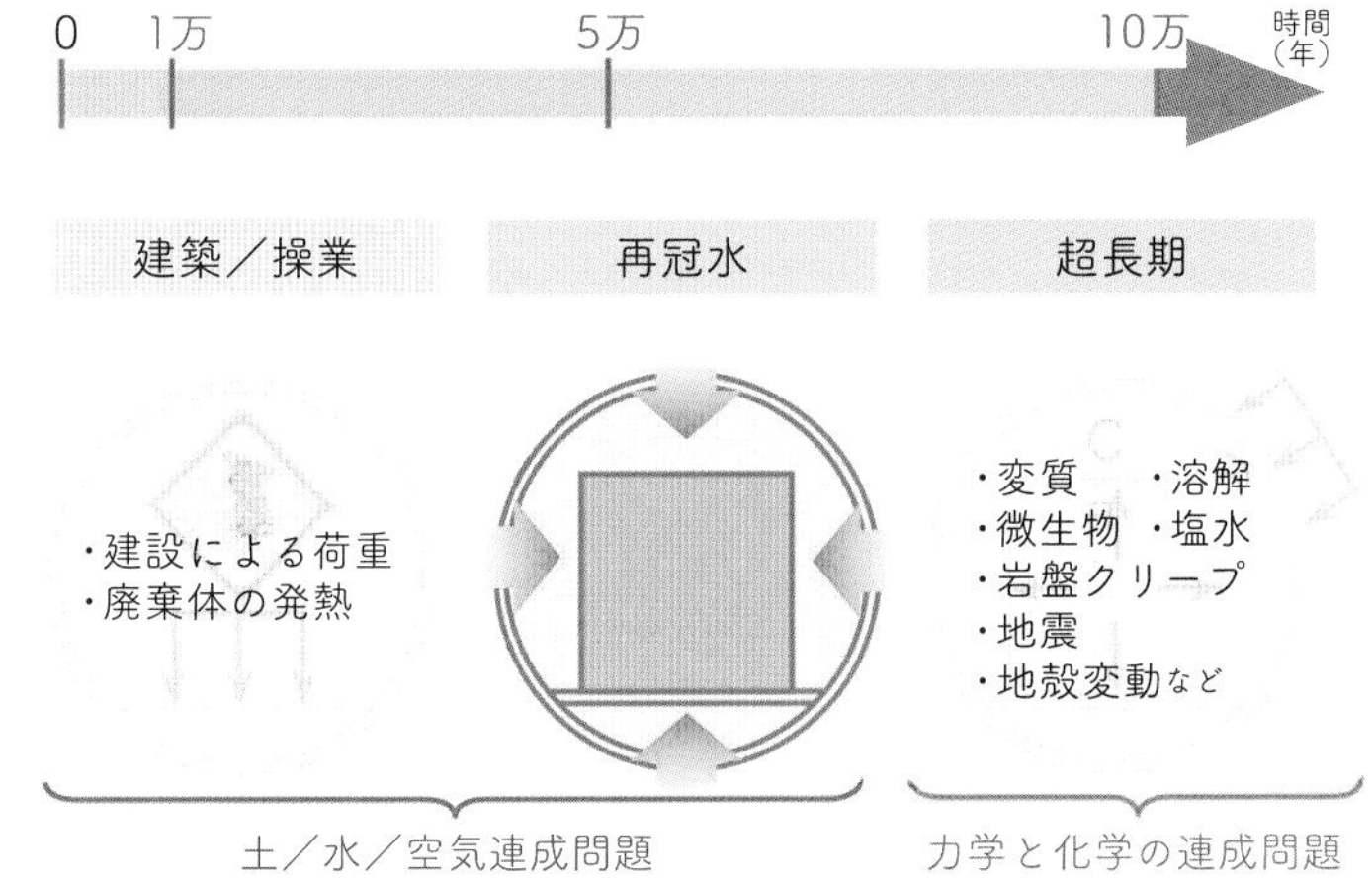

図15-3　地層処分のタイムスケール

トの変質を考えなければなりません。ベントナイト緩衝材の主成分はモンモリロナイトという鉱物です。これはウエハースのような構造で、すき間に水分子が入っていくと膨らみます。ところが、モンモリロナイトにさまざまなイオンが供給されると、温度や圧力、時間経過といった環境条件によって、色々な鉱物に変質することが知られています。

この他にもシミュレーション技術を使って、あらゆる条件や性能を検証、比較しなければなりません。そうすることで、可能なシナリオやその確率が出てきます。そして、さまざまなシナリオをもって、10万年後にどうなるか総合的に判断される必要があります。だからこそ、科学に基づく論理的な一貫性をしっかり持ったシミュレーションを世界中の多くの研究機関で実施していかねばならないのです。しかし、こういった研究に民間からの投資が少ないのが現状です。処分場にかかるコストは、だいたい3・5兆円といわれています。国内だけでは市場規模が小さいのです。

一方、世界では400を超える原子力発電所があり、今も増加傾向にあります。福島第一原子力発電所の事故があったにもかかわらず、開発途上国ではどんどんと原子力発電所を増やす方向なのです。アジアの国を約15ヶ国として、処分場コストを概算すると、44兆円くらいのマーケットです。世界では42ヶ国とすると、184兆円くらいのマーケット規模になります。国内に留まらず、海外に進出し、民間企業が地層処分技術に投資をして、民間から次々に良い技術が現れる動きになってくれないだろうかと願っています。これは国際貢献にもつながります。そのためには、設計法が仕様設計から性能設計に移らなければなりません。仕様設計というのは、厚さがどれくらい、深さがどれくらいといったふうに、決められた形状や寸法、構造に従って設計する方法や手段です。

一方、求められている要求を満たす設計法を性能設計といいます。1995年、日本は世界貿易機関の「貿易の技術的障害に関する協定条約」に締結、調印しています。この協定で、仕様設計から性能設計へ移ることを約束しています。我が国の多くの現行設計法では、これまでの仕様設計のアプローチを少し変える程度で取り組もうとしていますが、地層処分の世界では、それはやめてもらいたいのです。性能設計によると、手法や手段に自由度と多様性が許され、それを評価しなければなりません。それが新しい技術を創出するイノベーションにつながるからです。それによって、より安全で安心、かつ経済的な構造形式を生むことが期待されます。

私の研究室では、２０１５年に地層処分におけるベントナイト緩衝材のテーマで博士が生まれました。博士修了後に、彼は日本原子力研究開発機構に就職しました。そのとき、私はちょっと心配になって、「大変な分野だぞ。そういうところへ行って大丈夫か？」と言いました。すると、彼はこんなふうに返したのです。

「高レベル放射性物質の処分問題は、僕たちの世代で解決しなければならない問題ですから」

一方で、ある生化学者が私に言った言葉が頭に残っています。

「10万年後に人類が存在しているかどうか分からない。そんな未来への責任を考えるのはナンセンスだ」

私は、この地球と未来を考えるにあたり、前者の若者に与（くみ）したいと思っています。これまで、私も含めた過去の世代が先送りにしてきた問題をその若者は真剣に受け止めて、自分たちで道筋をつけようというのです。私たちも彼の心意気に感じて、前に進んでいかなければならないと思います。

COLUMN by Keiko Gion

　コンビニでドリップコーヒーが飲めるようになって、私の職場のコーヒーメーカーの稼働率が落ちつつあります。コンビニのコーヒーは安くておいしいし、何といっても、淹れたあとのコーヒーかすを捨てたり、ポットを洗ったりしなくていいのです。とはいえ、たまに同僚がやってきて、コーヒーを飲んでくつろぎたいと目で訴えたときには、コーヒーメーカーに豆と水をセットします。黒い艶のある液体がポットの8分目あたりに達したら、お湯でびしゃびしゃのコーヒー豆をそっとビニール袋へ入れます。私たちは、必要のなくなったものを「ごみ」と呼び、生活の邪魔にならないような場所へ移動させます。

　先週、部屋の掃除をしようと掃除機の電源を入れたら、うんともすんともいわないので、近所の電気屋さんへ行って修理をお願いしました。すると、買ったほうが安いと言われて、その足で掃除機売り場へ。色白の店員さんが近づいてきて「今のおすすめはサイクロンですよ」「ノズルが高速回転するんです」「やっぱりコードレスが流行りです」と私の横に立って一つひとつ説明してくれました。しかし、最後まで店員さんが何を伝えたいのか分からなかったので、よく考えてみますと言ってその場を後にしました。

図表出典

図1－1　世界知的所有権機関（https://www.wipo.int/）のデータをもとに著者作成

図1－2　世界知的所有権機関（https://www.wipo.int/）のデータをもとに著者作成

図1－3　世界知的所有権機関（https://www.wipo.int/）のデータをもとに著者作成

図1－4　N. Hamaguchi and K. Kondo, "Knowledge Turnover and Innovation Quality: Evidence from the Japanese Patent Database", RIETI Discussion Paper Series, 15-E-108（2020）
https://www.rieti.go.jp/jp/publications/dp/15e108.pdf（2021.02.05閲覧）

図2－1　品川嘉也「『こころ』はどこにあるか」建築雑誌 104(1293), pp.11-12（1989）

図2－2　著者作成

図2－3　著者作成

図2－4　著者作成

図2－5　著者作成

図2－6　L. Fleming, "Perfecting Cross-Pollination", Harvard Business Review, 82(9), p.22, Sep.（2004）
https://hbr.org/2004/09/perfecting-cross-pollination（2021.02.05閲覧）

図3－1　「ニューヨーク、マンハッタン、セントラルパークの空撮ビュー；公園は高層ビルに囲まれている」T photography / Shutterstock

図3－2　Emerald Necklace Conservancy, "Emerald Necklace Map"
https://www.emeraldnecklace.org/wp-content/uploads/2015/11/Emerald-Necklace-Map.pdf（2021.02.05閲覧）

図3－3　「イギリスの田園都市：レッチワースの街並み」Yasuhiro / PIXTA（ピクスタ）

図3－4　「ネバダ州ラスベガスの郊外型都市スプロールの空撮」iofoto / Shutterstock

図3－5　"Plan Voisin model.jpg", Wikimedia Commons, the free media repository
https://commons.wikimedia.org/w/index.php?title=File:Plan_Voisin_model.jpg&oldid=425217416（2021.02.05閲覧）

図3－6　"Nicollet Mall during construction, Minneapolis"
http://collections.mnhs.org/cms/display?irn=10848045（2021.02.05閲覧）

図3－7　X. Gong and Z. He, "The Rural Nexus：Master Proposal for Surat City, India",
Architectural Association School of Architecture, MA Landscape Urbanism（2012-2013）
https://issuu.com/aalandscapeurbanism/docs/aalandscape_urbanism_2012-13_the_ru/ pp.37 & 96（2021.02.05閲覧）

図3－8　著者作成

図3－9　"East Recreation Ground"
http://www.meijishowa.com/photography/2004/80201-0014-east-recreation-ground（2021.02.05閲覧）

図3－10　"KITLV - 110620 - Kusakabe, Kimbei - Nunobiki waterfall near Kobe in Japan - circa 1890.tif", Wikimedia Commons
https://commons.wikimedia.org/w/index.php?title=File:KITLV_-_110620_-_Kusakabe,_Kimbei_-_Nunobiki_waterfall_near_Kobe_in_Japan_-_circa_1890.tif&oldid=51552897（2021.02.05閲覧）

図3－11　「摂津国布引瀧」若林秀岳写（着彩：小代建築研究室）

図4－1　著者撮影

図5－1　"Patterns of Lightning Activity", NASA Lightening Team
https://earthobservatory.nasa.gov/images/6679/patterns-of-lightning-activity（2021.02.05閲覧）

図5－2　音羽電機工業株式会社撮影

図5－3　音羽電機工業株式会社撮影

図5－4　国連資料をもとに著者作成

図6－1　東北地方太平洋沖地震津波合同調査グループ
https://coastal.jp/ttjt/（2021.02.05閲覧）

図6－2　H. Tanikawa *et al.*, "Estimates of Lost Material Stock of Buildings and Roads Due to the Great East Japan Earthquake and Tsunami",
Journal of Industrial Ecology, 18(3), p.429（2014）
https://doi.org/10.1111/jiec.12126（2021.02.05閲覧）

図6－3　著者撮影

図6－4　「海から見た石巻水産物地方卸売市場」masy / PIXTA（ピクスタ）

図7－1　著者作成

図7－2　著者作成

図7－3　著者作成

図7－4　国連資料をもとに著者作成

図８－１　C. Mayhew and R. Simmon, "Earth at Night 2000 November 27" (NASA/GSFC), NOAA / NGDC, DMSP Digital Archive
https://apod.nasa.gov/apod/ap001127.html（2021.02.05閲覧）
The World Bank *et al.*, "Direct normal irradiation"
https://globalsolaratlas.info/download/world（2021.02.05閲覧）

図８－２　資源エネルギー庁「平成30年度エネルギーに関する年次報告」より著者作成
https://www.enecho.meti.go.jp/about/whitepaper/2019html/2-1-4.html（2021.02.05閲覧）

図８－３　資源エネルギー庁「日本のエネルギー　２０１７年度版」を参考に著者作成
https://www.enecho.meti.go.jp/about/pamphlet/pdf/energy_in_japan2017.pdf（2021.02.05閲覧）

図８－４　IEA, "CO2 Emissions from Fuel Combustion 2017" より著者作成
https://doi.org/10.1787/2219946（2021.02.05閲覧）

図８－５　J. Perlin, "Silicon Solar Cell Turns 50", United States（2004）

図９－１　気象庁ホームページ「数値予報とは」掲載の図に著者加筆
https://www.jma.go.jp/jma/kishou/know/whitep/1-3-1.html（2021.02.05閲覧）

図９－２　「気候モデルによる日本付近の格子」環境儀（国立環境研究所）No.19, p.7（2006）
http://www.nies.go.jp/kanko/kankyogi/19/04-09.html（2021.02.05閲覧）

図９－３　富田浩文「正20面体準一様格子を用いた非静力学大気大循環モデルの開発」ながれ 25, pp.181-186（2006）

図９－４　Y. Kajikawa *et al.*, "Resolution dependence of deep convections in a global simulation from over 10-kilometer to sub-kilometer grid spacing", Progress in Earth and Planetary Science, 3:16（2016）を改変

図10－１　A. P. Ferreira *et al.*, "Completeness of radiosonde humidity observations based on the Integrated Global Radiosonde Archive", Earth System Science Data, 11, pp.603–627（2019）

図10－２　著者作成

図11－１　「クロシジミ♀静岡県２００４年７月撮影」Niphanda fuscaSHIZUOKA-JPN.JPG, Wikimedia Commons
https://commons.wikimedia.org/w/index.php?title=File:Niphanda_fuscaSHIZUOKA-JPN.JPG&oldid=485875051（2021.02.05閲覧）

図11－２　「クロオオアリの巣の中で育てられるクロシジミの幼虫」(c) imamori mitsuhiko / Nature Production / amanaimages

図11－３　日本パークレンジャー協会　自然の不思議コーナー「No.21 カタクリとアリ」
https://www.japan-parkranger.com/（2021.02.05閲覧）

図11－４　著者作成

図11－5　著者作成

図12－1　内閣府「H28年高齢社会白書」（図1－1－13　世界の高齢化率の推移）を参考に著者作成
https://www8.cao.go.jp/kourei/whitepaper/w-2016/zenbun/pdf/1s1s_5.pdf（2021.02.05閲覧）

図12－2　厚生労働省「平成20年度患者調査」をもとに著者作成
https://www.mhlw.go.jp/toukei/saikin/hw/kanja/08/dl/01.pdf（2021.02.05閲覧）

図12－3　著者作成

図13－1　「神戸市罹災状況図（1）」　神戸市編「神戸市史第三集社会文化編」（1965）

図13－2　摂南大学理工学部都市環境工学科都市・地域計画研究室
「阪神・淡路大震災～マップで見る被災と復興～建物被害の状況　1・建物全壊率」
http://www.setsunan.ac.jp/~civ/teachers/fukushima/katudou/earthquake.html（2021.03.02閲覧）

図13－3　生活協同組合コープこうべ「写真で見るコープこうべの1995年」
https://www.kobe.coop.or.jp/special/hanshin-awaji/archive.html（2021.02.05閲覧）

図13－4　著者撮影

図13－5　谷田盛太郎編「住吉村誌」武庫郡住吉村（1946）をもとに著者作成

図14－1　"Grenfell Tower fire (wider view).jpg", Wikimedia Commons
https://commons.wikimedia.org/w/index.php?title=File:Grenfell_Tower_fire_(wider_view).jpg&oldid=462356899（2021.02.05閲覧）

図14－2　"Mounting Despair And Anger As Residents Of Grenfell Tower Seek Answers", Photo by Dan Kitwood / Getty Images

図14－3　著者作成

図14－4　著者作成

図15－1　"Vitrification, Nuclear Waste", Pacific Northwest National Laboratory / Science Source

図15－2　原子力発電環境整備機構　よくあるご質問「Q. 高レベル放射性廃棄物はいま、どれくらいありますか？」
https://www.numo.or.jp/q_and_a/faq/faq100008.html（2021.02.05閲覧）

図15－3　著者作成

浜口 伸明
はまぐち のぶあき

ペンシルバニア大学地域科学Ph.D.。アジア経済研究所を経て、
現在、神戸大学経済経営研究所教授。
〔主要著書・論文〕
『復興の空間経済学　人口減少時代の地域再生』（藤田昌久・亀山嘉大と共著、日本経済新聞出版社、2018）
「人口減少下の都市システムと地域経済の安定的発展に向けた課題」『第4次産業革命と日本経済：経済社会の変化と持続的成長』（東京大学出版会、2020）

大村 直人
おおむら なおと

神戸大学大学院工学研究科修士課程修了。博士（工学）、神戸大学。
日本板硝子株式会社を経て、現在、神戸大学大学院工学研究科教授。
〔主要著書・論文〕
『最新プロセス強化（PI）の技術』（三恵社、2017）
“Dynamical Particle Motions in Vortex Flows”
Vortex Dynamics and Optical Vortices（InTech、2017）

小代 薫
こしろ かおる

神戸大学大学院工学研究科博士後期課程単位取得退学。博士（工学）。一級建築士。
小代薫建築研究室主宰を経て、現在、神戸大学計算社会科学研究センター特命講師。
専門はまちづくり、建築計画、建築史・都市史。
〔主要著書・論文〕
「遊園史 布引遊園地・諏訪山遊園地」『新修神戸市史 生活文化編』（神戸市、2020）
「和歌山市民図書館と和歌山市民会館のリノベーションを中心とした地区再生まちづくり構想」（計画、2020）

金子 由芳
かねこ ゆか

東京大学法学部卒業、米国ジョージタウン・ロースクールにて法学修士（LL.M.）、
九州大学法学府にて博士（法学）取得。
広島大学大学院国際協力研究科、神戸大学大学院国際協力研究科などを経て、
現在、神戸大学社会システムイノベーションセンター副センター長・教授。
〔主要著書・論文〕
『震災復興学』（ミネルヴァ書房、2015）
『災害復興の法と法曹』（成文堂、2016）
“Asian Law in Disasters: Toward a Human-Centered Recovery”（Routledge、2016）

内海 美保
うつみ みほ

関西大学法学部卒業。
関西学院大学大学院経営戦略研究科専門職課程修了、同博士課程後期課程在学。
経済産業省近畿経済産業局地域経済部次長。
〔主要業務〕
クールジャパン政策、SDGs普及、技術開発支援、ダイバーシティ政策、知財政策、
産学連携など幅広い業務を通して、関西の中小企業の価値創造に取り組む。

堀江 進也
ほりえ しんや

オハイオ州立大学大学院経済学研究科博士課程修了。Ph.D.。
東北大学大学院環境科学研究科、神戸大学大学院経済学研究科を経て、
現在、尾道市立大学経済情報学部准教授。
〔主要著書・論文〕
"Why do people stay in or leave Fukushima?" Journal of Regional Science
（Wiley Online Library、2017）

大路 剛
おおじ ごう

神戸大学大学院医学研究科博士課程単位取得退学。

Cayetano大学熱帯学Diplomaコース修了。

博士（医学）、Diploma in tropical medicine and hygiene。

鐘紡記念病院、亀田総合病院などを経て、現在、神戸大学都市安全研究センター准教授。

〔主要著書・論文〕

『あなたも名医！外来でどう診る？性行為感染症　プライマリケア医の悩み・疑問に答えます』

（日本医事新報社、2018）

喜多 隆
きた たかし

関西学院大学博士前期課程修了。工学博士、大阪大学。
大阪大学基礎工学部、神戸大学大学院自然科学研究科を経て、
現在、神戸大学大学院工学研究科教授。
東京大学先端科学技術研究センター客員研究員。
〔主要著書・論文〕
『太陽電池のエネルギー変換効率』（コロナ社、2012）
"Energy Conversion Efficiency of Solar Cells"（Springer、2019）

梶川 義幸
かじかわ よしゆき

名古屋大学大学院環境学研究科にて博士（理学）取得。
名古屋大学地球水循環研究センター、ハワイ大学国際太平洋研究センターを経て、
現在、理化学研究所計算科学研究センター上級研究員、
および神戸大学都市安全研究センター特命教授。専門は気象・気候学。

〔主要著書・論文〕

『異常気象と気候変動についてわかっていることいないこと』（ベレ出版、2014）

大石 哲
おおいし さとる

京都大学大学院工学研究科修士課程修了。京都大学博士学位論文提出。博士（工学）。
京都大学防災研究所、山梨大学などを経て、現在、神戸大学都市安全研究センター教授。
理化学研究所計算科学研究センター総合防災・減災研究チームリーダーを兼任。

〔主要著書・論文〕

“Sustainable Water Resources Planning and Management Under Climate Change” (Springer、2016)
『アジアの流域水問題』（技報堂出版、2008）

尾崎 まみこ
おざき まみこ

九州大学大学院理学研究科博士後期課程修了。理学博士。
パデュー大学研究員、マックス＝プランク行動生理学研究所研究員、京都工芸繊維大学、
神戸大学大学院理学研究科を経て、現在、神戸大学名誉教授。
神戸大学工学研究科客員教授、理化学研究所客員教授、
奈良女子大学協力研究員、テイカ株式会社社外取締役。

〔主要著書・論文〕

『アリ！なんであんたはそうなのか』（化学同人選書、2017）
“Ant nestmate and non-nestmate discrimination by a chemosensory sensillum” (Science、2005)
“Sampling, identification and sensory evaluation of odors of a newborn baby's head and amniotic fluid” (Scientific Reports、2019)

滝口 哲也
たきぐち てつや

奈良先端科学技術大学院大学情報科学研究科博士後期課程修了。博士（工学）。
IBM東京基礎研究所を経て、現在、神戸大学都市安全研究センター教授。
この間、University of Washington客員研究員、INSA Lyon客員研究員。

〔主要著書・論文〕

“Knowledge Transferability Between the Speech Data of Persons with Dysarthria Speaking Different Languages for Dysarthric Speech Recognition” IEEE Access (IEEE、2019)

奥村 弘

おくむら ひろし

神戸大学大学院文化学研究科修士課程修了。
京都大学人文科学研究所を経て、現在、神戸大学大学院人文学研究科教授。
神戸大学地域連携推進室長、神戸大学人文学研究科長などを歴任。

〔主要著書・論文〕

『大災害と歴史資料保存　阪神・淡路大震災から東日本大震災へ』(吉川弘文館、2012)
『歴史文化を大災害から守る　地域歴史資料学の構築』(東京大学出版会、2014)
『地域歴史遺産と現代社会』(神戸大学出版会、2018) など

北後 明彦

ほくご あきひこ

神戸大学大学院自然科学研究科博士課程修了。学術博士。
財団法人消防科学総合センター、建設省建築研究所、
神戸大学大学院自然科学研究科を経て、現在、神戸大学都市安全研究センター教授。

〔主要著書・論文〕

「地域と災害」『災害から一人ひとりを守る』(神戸大学出版会、2019)
「非常時の安全・安心のデザイン」『建築計画基礎　計画の原点を学ぶ』(学芸出版社、2010)

飯塚 敦

いいづか あつし

京都大学大学院工学研究科博士後期課程修了。工学博士。
京都大学、金沢大学を経て、現在、神戸大学都市安全研究センター教授。
専門は地盤力学、地盤工学、地盤環境工学。
工学研究科市民工学専攻教授および海洋研究開発機構上席招聘研究員などを兼務。

〔主要著書・論文〕

“Geotechnical Predictions and Practice in Dealing with Geohazards” (Springer、2013)
“Extension of unsaturated soil mechanics and its applications” Geotechnical Research (ICE、2019)

祇園 景子

ぎおん けいこ

神戸大学大学院自然科学研究科博士前期課程修了。
福山大学博士学位論文提出。博士(工学)。
神戸大学遺伝子実験センター、サントリーホールディングス株式会社植物科学研究所、
神戸大学大学院工学研究科などを経て、現在、神戸大学V.School助教。

〔主要著書・論文〕

「問う―発散思考と収束思考」『価値創造の考え方』(日本評論社、2021)

おわりに

「未来　イメージ」と検索すると、高層ビルと空を飛ぶモビリティが赤や青の光を放ち、デジタルを表現したいのか数字やたくさんの丸が線でつながっていたりする画像が多くヒットしてきます。たいがいの人たちがこのような未来をイメージしているのだろうかと不思議な気持ちになります。世界中の人たちが同じ検索エンジンを使って、同じキーワードで検索して、同じ未来のイメージ画像を見ているでしょう。違うところにいても、同じところで未来を考えることのできる時代なのだと感じます。

私が子どもの頃に見た未来のイメージの1つが、『風の谷のナウシカ』の世界でした。中学校の授業で初めて観たと記憶しています。人々が戦争を繰り返した後、地球の浄化能力を超えた汚染物質が排出されて、ヒトは防毒マスクをつけなければ生きてはゆけず、巨大化した虫と菌類が繁栄する世界になっていました。さらには、菌類が汚染を浄化して、清浄な環境が再び現れて、ヒトが不要となった生態系が描かれていました。私はそれを空想の世界として受け止められず、未来にあり得る世界だと強烈に思ったのです。この物語は、私が生物学を志すきっかけにもなりました。

もう1つ、私の未来に対する考えかたに大きく影響したものがあります。それは、人類の歴史において最も凄惨な出来事の1つであるホロコーストです。これも中学生のときでした。ちょうど神戸であったアウシュビッツ展へ足を運んだことがきっかけです。そこで私が感じたのは、私が殺す側になるのか殺される側になるのかは分からないということでした。どちらかというと、殺す側になってもおかしくないと感じていました。私が殺す側にならない保証などどこにもないと思ったのです。小学生のとき、家の庭にあった蟻の巣に水を流し込んだことがあって、そのときの自分を思い出しもしました。そこで、未来の私が殺す側にならないためにはどうすればよいのかを考えはじめました。

悲しいことに、私の抱いた未来は、どちらも強烈にネガティブでした。それなのに、現実には、希望のある未来が待っていると私は信じ込んでいます。私がかなりの楽観主義者なのかもしれませんが、そう思う根拠もちゃんとあります。それは、この本にある15のはなしを読むと分かると思います。美しい未来をつくるために何が必要なのか、どうすればよいのか、たくさんのヒントがちりばめられています。そしてなによりも、未来をつくるためにがんばっている人たちがたくさんいることに気づくのではないでしょうか。この本ではなしをしてくれた15名は、未来を見ながら今何をすべきかをバックキャスティングをして、各々の仕事に取り組んでいます。

もう1つ、私が希望のある未来が待っていると信じる根拠があります。それは、私たちにはこれまで人類が創造してきた知識・知恵があるからです。地震が起こったら津波が来ることも、ウイルス感染を予防するのにマスクをすることが有効だということも先人が見つけました。私がホロコーストについて知ることになり、未来の私が殺す側にならないようにするにはどうすればよいかという問いに答えをくれたのも、ハンナ・アーレントの言葉でした。私たちは先人たちのつくってきた壮大な知識・知恵の上に存在しています。その知識・知恵を使うことができます。

そして、それらの上にさらに新たな知識・知恵を生み出すことができます。決してゼロから未来をつくるわけではないのです。未来をつくる術を人類はすでに持っています。だから、私たちは勉強するのだと思っています。

実は、未来のことをまとめた本を出版することになったものの、未来を考えることにうんざりしていました。未来、未来って、未来のことばっかり考えていても、未来はできないよって思っていたときに、1冊の本を見つけました。そのタイトルは『さよなら未来』。『WIRED』日本版の元編集長である若林恵氏の本です。「そうなのよ！　未来ばっかり追いかけることにさよならしたいのよ！」とパケ買いならぬタイトル買いをしました。そのなかで、彼は、ウィリアム・ギブソンの「Future is Already Here」という言葉を引用し、「このことばが面白いのは、未来というものが時間軸においてではなく、空間軸において捉えられているように読めることだ。つまり未来は、いますでに『どこかに』あるのだ。未来を考えるということは『いまとちがう時間』ではなく『いまとちがう場所』を探すことかもしれない」と言っていました。

この本は、私にとって「いまとちがう場所」です。あなたの「いまとちがう場所」にもなればよいなと思っています。

祇園　景子

あとがき

本書は、神戸大学「未来道場」と「未来世紀都市学研究ユニット」が主催した「未来世紀都市フェス２０１７」と「同２０１８」にて、神戸大学の工学、医学、人文学、経営学、経済学、法学などのいろいろな専門分野の先生が、自らの専門知識や研究内容と他分野の関わりをもとに、現代社会の課題、その解決方法や未来とその夢を語った講演から生まれました。

本書を読んでどんな感想を持ちましたか？

何か質問はありますか？

きっと本書を読んだ皆さんは、何らかの疑問や感想を持たれたと思います。しかし、私の経験では、実際の講演や授業で前述の質問をすると、聴講者の多くは黙ってしまうことが多かったような気がします。講演や授業を聞いたり、読書をしたりしたとき、質問や自分の意見を常に持ち、気楽に発言できる、記述できる方は、このあとがきが必要でないかもしれません。「あとがき」というものは、小説の場合には、読書感想文を宿題で書かされるときにだけ、筆者はどういうつもりでこの書籍を書いたのだろうとか、解説者はこの書籍を読んでどのように感じたのだろうということを先に知りたくて読むもので、本書のようなオムニバス形式の講演のあとがきはあまり読まれないものと先入観を持っております。このあとがきでは、本を読んでご自分の意見をまとめることに困難を感じる方に、本の読みかた、講演の聞きかたをこっそりと書き記しておきましょう。

私は、読むこと、聞くこと、話すこと、書くこと、言葉を使うこと、すべてが思考することだと思っています。自分自身の場合には、話すことと書くことが下手なので、妻からは「あんたの言っていること、書いていることは、長くて難しくて分からん！」と叱られてばかりいますが、これはここでの話題とは関係ありません。

書籍の場合、特に長い文章の場合には、ご自分で、数段落ごとに要約をメモで書き込んでおくとよいです。それらのメモを見ると、筆者が何を述べたいか、何を課題と思っていて、その解決方法は何であるかを容易に理解できるようになると思います。

その上で、筆者の意見に「なるほど、もっともな意見だ」と同意するのか、「いや、こんな見方もあるのではないか。自分だったらこのように考える」と批判的な意見が出てきたら、それが自分の意見をまとめる好機です。あるいは、筆者による新たな視点を発見したり、新たな論理の展開に気がついたりすることもあるでしょう。それらを頭のなか、あるいはメモで整理し、自分の言葉で表現すると、立派な感想、意見、疑問点の提示が可能となります。

本書のようにオムニバス形式で色々な専門の方が講演されるときには、AさんとBさんの論点の比較をしてみるのもよいでしょう。本書でも、1つのテーマに対して、異なる意見が展開されていることもあります。どちらが正しいのか、自分で考えてみることができます。

本を読んだとき、講演や授業を聞いたときに、筆者や講演者の言いたいことは、何だろうかと読みとり、あるいは聞きとり、どんな考え、意見、価値観、課題、対策が思い浮かんだか、思考を繰り返してください。また、得意な分野が異なる人と議論をしてみてください。日本では、議論というと、白黒をつけて、「あいつに対して一本取った」となりがちですが、そうではなくて、本を読むときと同様に、専門が違う方々と話すことにより、新たな気づきや相互理解が可能になることと思います。

これを書いている今、世の中は、新型コロナウイルス感染拡大の第3波のなかにあります。さまざまな社会課題や不安、ストレスにさらされていますが、明るい未来は、ニューノーマル、アフターコロナを先導する皆さんの思索、行動と共にあります。本書を読み、新たな挑戦と、社会と世界への貢献を目指していきましょう。

令和3年早春　六甲山麓にて

神戸大学理事・副学長
小川　真人

未来世紀都市フェスについて

　未来世紀都市フェスは、神戸大学の道場「未来社会創造研究会（通称・未来道場）」が企画したプロジェクトです。2017年と2018年に開催し、学内外のたくさんの研究者や活動家が登壇しました。2018年度の開催に際しては、クラウドファンディングを実施し、多くの方々のご賛同とご協力によって実現することができました。

　この試みは、それぞれが生みだしたモノやコトを発表するばかりではなく、参加者と対話を重ねることで、新しい知を生み出していく場として企画されました。それぞれのスピーチの抽象度を揃え、参加者との議論が活発になるようにファシリテーションも工夫されました。

　主催者である未来道場は、神戸大学未来世紀都市学研究ユニットのなかに設置されています。学内外の教職員、学生、社会人から持ち込まれる課題に対して、大学に存在する「知」「インフラ」などのすべてのモノを活用して、その課題解決を促すプラットホームです。

　このプラットホームでは、知のコモンズ化と融合を大切にしています。知がすべての人間の共有財産となり、さまざまな知が融合するためには、専門家が語る知を相互に理解できる抽象度に揃え、知を生み出す研究者や活動家の行動基盤となる情熱や想いを共有することが求められます。未来世紀都市フェスを通して、登壇者の研究や活動の背景が参加者と共有されたことをきっかけに、参加者同士が新たに連携したり、知的好奇心が刺激され、新たなコトが共創されたり、現在もこれまでにない価値が生まれつつあります。

神戸大学V.School准教授

鶴田　宏樹

編著者紹介

祇園景子（ぎおん・けいこ）

神戸大学大学院自然科学研究科博士前期課程修了。福山大学博士学位論文提出。博士（工学）。神戸大学遺伝子実験センター、サントリーホールディングス株式会社植物科学研究所、神戸大学大学院工学研究科などを経て、現在、神戸大学V.School助教。主な著作に、『価値創造の考え方』（國部克彦・玉置久・菊池誠編、日本評論社、2021）。

美しい未来をつくるひとのための15のはなし

2021年3月31日　第1刷発行

編著者　祇園景子

発　行　神戸大学出版会
〒657-8501　神戸市灘区六甲台町2-1
神戸大学附属図書館社会科学系図書館内
TEL 078-803-7315　FAX 078-803-7320
URL：http://www.org.kobe-u.ac.jp/kupress/

発　売　神戸新聞総合出版センター
〒650-0044　神戸市中央区東川崎町1-5-7
TEL 078-362-7140　FAX 078-361-7552
URL：https://kobe-yomitai.jp/

印刷・製本 ―――― 神戸新聞総合印刷
編集 ―――― 髙木大吾（Design Studio PASTEL Inc.）
装幀・デザイン ―――― 近藤聡（明後日デザイン制作所）
イラストレーション ―― 子安奈都子

落丁・乱丁本はお取り替えいたします。

ISBN978-4-909364-13-5　C0036